いま、あなたに伝えたい。

GUNJI TATSUO
軍司達男 著

ジャーナリストからの
戦争と平和、
日本と世界の大問題

はじめに

▼時代の大きな転換点に座標軸は見つかるか

２０２２年2月24日にロシアがウクライナに侵攻して以来、世界は一気に先の見えない不穏な空気に覆われ始めた。戦争の悲惨さがＳＮＳで拡散し、ロシアが平気で核を脅しに使う。長引く戦争の影響で世界は食料不足やエネルギー不足、インフレに見舞われている。ロシアへの対応を巡って、米中の対立も激しくなり、世界では強権的な国と民主主義を掲げる国との分断が深まっている。加えて不気味に進行する地球温暖化など、世界は時代の大きな転換点に差しかかっているように思える。

膨大な国の借金を抱え、「失われた30年」の現実に直面する日本もまた、例外ではない。超高齢化と少子化による人口減少と経済の停滞。かつては最先端を誇っていた科学技術の遅れ、そして国内に広がる格差と貧困などで国の足元が揺らぎ始めている。国会の空洞化や民主主義の後退も目立つようになった。そして、実質的に憲法９条を変えるような反撃能力(敵基地攻撃能力)や防衛費の倍増など、防衛政策の大転換も始まろうとしている。こうした時代の転換点にあって、私たちは未来を探るための「座標軸」を見つけることができるだろうか。

▼ジャーナリストとして時代を見つめる中で見えて来たもの

ＮＨＫの番組ディレクターだった私は、定年後に一人のジャーナリストとして、組織を離れた自由な立場から、その時々の事象について「私たちは今、どういう時代に生きているのか」、「時代はどこに向かおうとしているのか」、そして「この時代をよりよく生きて行くにはどうすればいいのか」といった問題意識のもとにネットにコラムを発信して来た。発信を始めたのは18年前(2005年)になるが、今回、その450本のコラムの中から55本に絞り込んで、時間の流れを踏まえてテーマ別に整理してみた。

「戦争と平和」の問題や日本や世界が抱える課題、地球温暖化や100年に一度の大変革(メガシフト)など、取り上げたテーマは多岐にわたるが、いずれも私たちの未来を考える上で避けて通れない重要テーマと言える。単に、目の前の事象を追うだけでなく、私自身の取材経験も交えつつ、できるだけ多面的、歴史的にもとらえられるように努めた。同時に問題の提起ばかりでなく、どうすればいいのかについても、私なりに触れたつもりである。これらに今日的な視点で解説を加えて並べてみると、歴史的な流れが分かり、様々な転換点の意味合いが浮かび上がってくるようにも思える。

▼ジャーナリストから若い世代への一つの提言として

老齢化し、硬直化した日本の政治・経済にもう一度活気を呼び戻し、国際的な課題にも取り組んでいく新たな道筋を作って行くのは、若い世代になる。55本のコラムは、私の後に続く若い世代に託す気持ちで選んだものでもあり、様々な困難や難問に直面する世界と日本の問題を考える時の座標軸を模索するヒントの一つにしていただければと思う。なお、コラム末尾の注記で現在の情報をできるだけ補ったが、本文中の肩書、データは各コラムの最後に示した時点のものであることをお断りしておきたい。また、その他の敬称は省かせて頂いた。

いま、あなたに伝えたい

～ジャーナリストからの戦争と平和、日本と世界の大問題～

目次

はじめに …… 1

第1章　世界と日本が直面する「戦争と平和」の大問題

いま不戦の誓いとは …… 11
日本人の戦争 …… 15
憲法を考える …… 19
戦争を始める論理 …… 23
映画「風立ちぬ」の時代と戦争 …… 27
集団的自衛権のその先に …… 31
日本の何を守るのか …… 36
一億総玉砕と日本殲滅作戦 …… 40
自衛隊が日本軍になる日 …… 45
満蒙開拓・国策の果てに …… 49
「核なき世界」を巡る攻防 …… 53
「核の傘」の欺瞞と危険性 …… 58
ロシアが抱える底知れぬ闇 …… 62

数字の背後にある死の無残 …… 67

第2章　日本が抱える課題の数々。衰退日本は復活出来るか

[1] 失われた30年の自画像。日本の現在地を直視する …… 75
「プロジェクトX」は再び来るか …… 75
縮む日本・待ったなしの近未来 …… 79
世界を食い荒らす強欲経済 …… 83
格差と分断から共生の社会へ …… 88
歴史認識の暗くて深い溝① …… 93
歴史認識の暗くて深い溝② …… 97
科学技術立国の揺らぐ足元 …… 102
「失われた30年」の自画像 …… 106
年金、2千万円問題の裏側 …… 111

[2] 政治の劣化と脅かされる民主主義、メディア …… 115
テレビ制作者は今も「放送人」か …… 115

世界と時代に逆行する秘密国家 121
「暴露」監視国家の奢りと腐敗 125
「言い換え」と虚言の政治 129
権力、メディア、国民のあるべき関係 134
分断する政治とメディア 139
「脱真実」とメディアの危機 143
テロ対策から逸脱する共謀罪 148
含羞なき時代に生きる 152
安倍政治の「失われた8年」 157
民主主義と国家ビジョン 161

第3章 世界はどこに向かうのか。人類が直面する大問題

1 どうする? 年々暑くなる地球とその未来 169
地球温暖化は防げるか? 169
人類の生き残りを賭けた挑戦 173
もしあなたが若者だったら 177

コロナが促す「脱」の世界……180

2 人類の英知が試される100年に一度の大変革……185

存在の奇跡に感謝しながら……185
人類の「英知」が試される……190
人工知能(AI)の衝撃と人類の未来……195
メガシフト① 車が変る日……199
メガシフト② 巨大国家中国……203
どうなる? 米中対立と日本……208
メガシフト③ ゲノム編集……212
民族の厄介で危険なDNA……216
GAFAが世界を制覇する日……221
格差の拡大に手が打てるか……226
台湾問題を複眼的に見る①……230
台湾問題を複眼的に見る②……235

第4章　忘れてはならないもう一つの大問題・あの事故から何を学ぶか

最悪に備えてあらゆる対策を……243
議事録不在は何を意味するか……246
虚構と無理筋の原発政策……251
チェルノブイリの祈りと福島……255
巨大イモ虫と原発、誰かが見ている？……260

あとがきにかえて……265

著者略歴

第1章　世界と日本が直面する「戦争と平和」の大問題

78年前の1945年（私が生まれた年）に終わった第二次世界大戦によって、世界と日本はかつてない悲劇を味わった。世界全体で5千万人から8千万人が犠牲になり、多くの国々が廃墟となった。そのうち日本が始めた太平洋戦争ではアジアで2千万人が犠牲になり、日本でも310万人の命が失われた。これだけの大きな犠牲を払ったあと、戦後世界は何とか戦争の悲劇を食い止めるために、国連を始めとする国際機関や、核戦争を未然に防ぐための交渉の場を用意して来た。しかし、2022年2月にロシアが始めたウクライナ侵攻では、こうした国際機関の機能不全が露わになり、ロシアは核兵器の使用までにおわせている。

ウクライナでの戦争を見るまでもなく、戦争はそれまで平穏に平和に暮らしていた庶民の生活を根こそぎ破壊する。戦争は兵士だけでなく、その家族や女性、子供たちといった弱い立場の人々まで容赦なく巻き込む。こうしたことがわかっているのに、権力者たちはなぜ戦争を始めるのか。人間は戦争をやめることはできないのか。ロシアの侵攻によって第三次世界大戦の可能性まで懸念されている今、私たち日本人はもう一度、敗戦の原点に返りながら、平和の尊さ、ありがたさをかみしめると同時に、平和を維持することの難しさを改めて確認する必要がある。

戦争を未然に防ぐためには、戦争はどのようにして起こるのか、戦争が始まる際の様々な兆候を知ることも重要になる。そして、その芽を摘み取るために何が必要なのか、独裁者や政治家たち、あるいは戦争をそそのかす策謀家たちに好きなことをさせないための国民監視のあり方、民主主義のあり方についても考えていく必要がある。また、世界の破滅につながる核戦争をどう考えていくのか。この人類の大問題についてもこれまでの議論の経緯を見ていく。戦争のきな臭さが漂っている今、第1章では、戦争というものを多面的に考えていくためのコラムを選んだ。

大事なのは、現代の戦争がそのように破滅的なものである以上、最優先に考えなければならないのは、常日頃から戦争を未然に防ぐための「平和の構築」に努力することである。それを、国の最優先課題として常に確認して行くこと。こうしたことを、単に理念だけではなく、戦争の様々な側面を踏まえてリアルに考えられるようにしておかないと、つい勇ましい議論に引きずられることになる。防衛論議が熱を帯びる現在、私の親たち世代が「戦争だけはしてはいけない」と言っていた「不戦の誓い」が、どうなっていくのか。こうした大事なことを考える上での参考にして頂ければと思う。

いま不戦の誓いとは

昭和16年(1941年)の12月8日、日本は真珠湾を攻撃して太平洋戦争に突入した。この戦争では私の父方の6人の叔父達のうち4人が戦争に行き、うち3人はニューギニア、中国、アッツ島(これは輸送任務)などの外地で戦った。

ニューギニアに行った叔父は、肩に貫通銃創を受けて傷口に蛆虫がわき、浜辺で内地への輸送を待っているとき、たまたま迎えに来た潜水艦の乗組員が父の友人だったため拾われて、その潜水艦で帰国した。それが最後の輸送だったという。祖母は息子達の無事を祈ってお百度参りを欠かさなかったというが、そのお陰か息子達は全員無事に内地に帰還することが出来た。

開戦から4年後、終戦の年に田舎の疎開先で生まれた私は戦争を知らない。時々、母親も含めた戦争体験世代が「戦争だけはしてはならない」と口にするが、その本当の重さをわかっているのだろうかと自問する。

▼「不戦の誓い」を取り巻く状況

「戦争だけはしてはならない」は、戦後日本の国のあり方を決める国是だった。しかし、この「不戦の誓い」を取り巻く状況がここへ来て大きく変わろうとしている。

来年には防衛庁が防衛省に格上げされる(＊1)。2年前に議論を呼んだ自衛隊のイラク派遣は、12月9日にすんなり延長が決まった。また、アメリカ軍再編の中で中東から極東までを管轄する米軍司令部を日本に置く構想も浮上している。日米軍事同盟の中で日本は北朝鮮の核、膨張する中国軍、テロと石油の中東をにらんだアメリカ軍の中東・アジア防衛戦略の一翼を担えるように機能と体制を整備しようとしている。

そして、憲法9条の改正である。憲法9条改正の動きは、戦後60年たって、いつまでも情緒的な「不戦と非武装の古証文」に頼っていていいのか、世界の状況が大きく変わっている中で、自衛隊の現実と国際情勢を見据えた国防のあり方を検討すべきではないか、というのが表向きの理由である。野党の民主党からでさえ、同盟国アメリカとの共同の軍事行動が可能になる集団的自衛権や、資源確保のために海外に軍隊を出動させるシーレーン防衛などという勇ましい意見も出て来ている。

もっともらしい意見ではあるが、私は少し待ってくれと言いたい。あの太平洋戦争は今でも日本という国の原体験ではないのか。世代交代が進み、戦争の記憶が風化する中で、「戦争」をいつでも使える道具のように軽く考えて議論が進むとしたら、日本は再びあの愚かな過ちを繰り返すのではないか。

▼日本の歴史上最大の愚行

太平洋戦争では知っての通り、日本の軍人、軍属が230万人、また外地での日本人の犠牲30万人、B29による日本各都市への空襲、沖縄占領、広島、長崎への原爆投下などで50万人、合計310万人の国民が犠牲になった。

あまりに大きい数字でピンと来ないが、死者の数から言えば戦争の4年間に、関東大震災(死者14万人)が20回、阪神淡路地震大震災が450回も起きたようなものだ。当然のことながらこれは天災でなく、日本人が引き起こした日本の歴史上最大の人災である。アジア太平洋地域での犠牲は各国合わせて2千万人という。

▼戦争の研究

月刊文藝春秋は今年11月、「日本敗れたり・あの戦争になぜ負けたのか」を特集した。日本はなぜあの戦争を始めたのか、日本はいかにして負けたのか、6人の作家、研究家たちの座談会である。開戦から敗戦に至るまでには、近年明らかになって来た様々な対立や紆余曲折のドラマがあり、それが貴重な研究成果でもあるが、要点のみを書けば以下の通りである。

(非合理な開戦)

・アメリカとの勝算なき戦争が避けられなくなる「日独伊三国同盟」を、ドイツの巧妙な働きかけに安易に乗って結んでしまった。以後はドイツの勝利に期待する(他力的な)希望的観測を積み重ねて現実が見えなくなり、明確な戦略目標もないまま場当たり的な対米外交に陥った。

・中国戦線の泥沼化で行き詰り、資源確保のために南方へ進出、それが米英の厳しい反発を招くことになった。太平洋戦争は米英と戦争してこの苦境を一気に打開し、「日中経済圏を作って自存自衛を図る」という名目で始められた。

・しかし、石油資源などを頼っている当のアメリカと戦うという発想自体が客観的に見てすでに非合理だった。

（戦略なき戦争）
・戦争目的も自存自衛と大東亜新秩序との間で迷走し、国際的視野を欠いていた。国際社会を視野に入れて動ける軍人が皆無だったせいもある。
・前線の兵隊は困難な状況の中で懸命に戦ったが上層部は無能でしかなかった。陸軍と海軍との権力争いで貴重な時間を空費し、年功序列でお互いの作戦失敗をかばいあう状況だった。
・近代戦争を知らないまま戦争に突入したために、補給思想のないまま作戦を実行。その結果、昭和19年以降、150万から200万人の兵隊が戦闘ではなく飢えで死んだ。餓死者は全体の70％にものぼる。

これを読むと、当時の指導者たちの救いがたい頑迷さ愚かさ、また犠牲になった人々のやりきれない無念さが改めて胸に響く。戦争は常に愚かな、あるいはそれで一旗上げようとする狡猾な指導者たちによって始められる、どんな大義名分を作ろうと、これからの世に民族の破滅に代えられるような正義の戦争はない、ということ。これをまずもって肝に銘じることが多大な犠牲を払って日本人が得た戦争の教訓ではないだろうか。問題は、こうした貴重な研究の成果を、目の前に迫っている国防論議にどう生かすかということだろう。そこで現時点での私なりの戦争に対する基本的考え方、素朴な疑問を以下、簡単に書いてみたい。

▼戦争に対する基本的考え

まず、戦争はあらゆる方策を講じても避けるべきものだということを国家的前提にすべきだと思う。これは単純に、仕掛けられたらどうする、自衛のための戦争もいけないのか、というようなことではない。戦争を避けるためには、国際間の緊張レベルを下げる不断の相互理解や粘り強い外交で「平和の構築」に向けて努力するしかないということ。そのことを肝に銘じ、「時代に即した形で」国民全体で繰り返し確認していくことが大事だと思う。

例えば今の日本はそうした努力をしているだろうか。アメリカの軍事力に頼って平和外交の努力をおろそかにし、自国の国民感情を煽ったり危機を訴えたりするだけでは戦争への危険は減らせないということである。

さらに、戦争が取り返しのつかない犠牲を国民に強いるということが明確な以上、次のようなことをしっかり議論して行く必要があると思う。自分や家族の命を犠牲にしてまでも守るものは何なのか?今の日本で国益とは何か?国の独立なのか、民族の未来なのか?(戦前の軍部が第一義とした、天皇を中心とした)国体なのか?これらに明確に答えられる国民は今、どの位いるだろうか。難しいテーマだが、「国防」を考える以上、これも〝時代に即した形で〟具体的に議論し、国民で共有して行く必要があると思う。

(2005年12月11日)

(＊1)2007年、防衛省に昇格

日本人の戦争

台湾とフィリピンの間に「バシー海峡」がある。昭和18年半ばには、日本は既にこの海峡での制海権を失っており、日本軍の輸送船は出没するアメリカの潜水艦や戦闘機の格好の標的となって、大量の兵員を載せた輸送船が次々と海の藻屑と消えていった。それでも大本営はやがてフィリピンに再上陸するであろうマッカーサーを迎え撃つために兵員を送り込み続けた。

▼輸送船とは名ばかりの老朽貨物船で

評論家、山本七平も昭和19年4月、22歳の時、戦地フィリピンに行くために門司から輸送船に積み込まれた。輸送船とは名ばかりの老朽貨物船。甲板には、船べりを伝って海に汚物を垂れ流す便所が無数に並んでおり、船全体が異臭を放っている。午後1時、貨物船に3千人を詰め込む作業が始まる。しかし乗船作業は遅々として進まず、雨の中兵隊たちは待ち続けた。

胴回りの2倍ほどの装備と座布団のような救命胴衣を着けた兵隊が乗り込むのだが、その詰め込み方が想像を絶している。一坪(たたみ2畳)の船倉を上下2段に区切って、そこに14人を押し込むのだ。一旦横になって並ぶと立つことも出来ない。湿気100%の蒸し暑い船倉に3千人の兵隊を押し込むのに夜半までかかった。

船のスピードは5ノット(時速9キロ強)。この身動きも出来ないすし詰めの状態で、ノロノロとしかも敵の発見を避けるためにジグザグに、危険なバシー海峡を渡ってフィリピンに向かう。

木造老朽船は魚雷が当たれば15秒で沈没した。誰も助からない。山本氏はそれをアウシュビッツよりも恐ろしい死のベルトコンベアだと書いている。事実多くの輸送船が声を発する間もなく消えて行き、その大量の戦死は秘密にされた。

▼無策のままに兵員を送り続けた軍部

しかも奇跡的にフィリピンに到着した兵隊を待っていたのは、「何だって大本営は、兵員ばかりゾロゾロと送り込んで来るのだ。こっちには食い物も宿舎も武器もないのに。」という状況である。到着した兵隊は、そこで飯ごうの残りかすをあさっている乞食のような人たちを目撃するが、よく見るとそれが先着の日本兵であり、到着した日本兵がそういう姿になるのに10日もかからなかった。

人間の命が紙くずのように扱われ、貨物船に押し込まれたときから日本兵の思考力も戦意も失われていた。こうした状況を軍部の誰も直視せず、50万人を送ってだめなら100万人を送り込むという、行き当たりばったりの作戦を大本営は続けていたのである。

山本七平の「日本はなぜ敗れるのか　敗因21か条」は、帯に「奥田会長が是非読むようにとトヨタ幹部に薦めた」とあるが、様々な角度からこうした行き当たりばったりの思考方法がいまだに日本を支配している、ということを伝えている。体験者にしか書けない名著と言うべきだろう。

▼激戦の地「硫黄島」

東京から南に1250キロ離れた絶海の中に硫黄島はある。広さが世田谷区の半分にも満たない22平方キロメートル、縦に8・5キロ、横に4・5キロしかない小さな島である。島はしゃもじのような形をしているが、柄に当たる島の南西に標高169メートルの摺鉢山があるほかはなだらかな台地が広がっている。この小さな島が太平洋戦争中、アメリカ海兵隊の兵士に「地獄の中の地獄」と言わしめた激戦の地となった。

アメリカ軍は上陸前に海と空から74日間にわたって島の形が変わるほどの徹底的な爆撃を行ったあと、昭和20年2月19日、上陸を開始。圧倒的な火力を備えた6万のアメリカ軍が島を守る日本軍2万に襲いかかった。

当初、アメリカ軍は上陸後5日で島を制圧できると見ていた。上陸前の砲撃を見て「これじゃ日本兵は一人残らず死ぬんじゃないか」、「おれたち用の日本人は残っているのかな？」と言っていた海兵隊は、しかし予想に反して島の地下壕に潜んでいた日本兵と地獄のような死闘を続けることになる。

双方死力を尽くした戦闘は36日間続いた。米軍側の死傷者2万8686名(うち死者6821名)、日本側死傷者2万1152名(うち死者2万1129名)。硫黄島は、太平洋戦争においてアメリカが攻勢に転じた後、米軍の損害が日本軍の損害を上回った唯一の戦場となった。

▼総指揮官、栗林忠道

日本軍2万の総指揮官は、陸軍中将の栗林忠道である。彼は、それより前の島々の攻防戦で失敗した「水際作戦」を排除して、アメリカ軍を島に呼び込んで島中にめぐらした地下壕から地上の敵と戦うという独創的な戦術を採った。着任した昭和19年6月以来8ヶ月、彼は食料も野菜も乏しく、特に水は雨水しか頼れない厳しい環境の中、2万の部下とともに地下壕を掘り続けた。

両者の戦力を比較すれば、日本軍には万に一つの勝ち目もない絶望的な戦いである。彼は闘いの目的を、戦いを出来るだけ長く引き延ばし、一人でも多くの敵を殺すことに置いた。彼らが硫黄島で戦っている限り、首都東京の空襲を防げると考えたからである。そして、部下にバンザイ突撃による玉砕を禁じ、一人になっても最後の最後までゲリラとなって戦うことを命じた。

中将と2万の日本兵は、36日間でほぼ全滅したが、最後の兵士2名が投降したのは終戦から3年半、主力部隊の全滅後から4年近くもたっていた。

▼硫黄島の悲劇が伝えるもの

硫黄島の戦いを描いた話題のノンフィクション「散るぞ悲しき」(梯久美子)。これを読むと、硫黄島の戦いにもまた、先の太平洋戦争の典型的な悲劇が凝縮しているのが分かる。

充分な食料も水も、そして武器も補給せず、２万の軍隊を送り込んで太平洋の要衝を守らせたこと。指揮官、栗林はアメリカ駐在の経験があり、「アメリカは最も戦ってはならない国」と考えていたにもかかわらず、アメリカの物量作戦と戦う運命に置かれたこと。現地指揮官が大本営の無能に悩まされたこと。大本営は、島の重要性を知りながら誤った水際作戦を強要する一方、補給を怠り、やがて島を見捨てた。

極限の中で命を賭して壮絶なまでに戦ったかつての日本兵の姿を知るにつけ、戦争の悲劇、むなしさが一層募ってくる。戦争のドキュメントは私たちに、局部の作戦、戦術の成否を後から「たられば」(ああなっていたら、こうしていれば局部的には勝っていたかも知れない)で云々するより大事なことがあることを教えてくれる。大事なのはむしろ、この愚かな戦争が何故引き起こされたのか、引き起こしたのは何か(誰か)という大局的な視点と反省の中で、個々の悲劇的現実を見ることなのだ。

(２００６年９月17日)

憲法を考える

憲法改正問題は憲法改正の手続法である「国民投票法」が制定されて、いよいよ具体的な議論の時期に入った感がある。そこで今後、憲法改正問題を考えていくにあたり、まず日本国憲法制定の経緯についてまとめておきたい。

▼制定経緯のポイント

１９４７年５月３日に施行された日本国憲法は従来、「ＧＨＱ(連合国軍総司令部)による押し付け」とか、

「たった一週間で作られた」とか言われて、「自分たちの手で憲法を作り直そう」という改憲派の口実となってきた。しかし、その経緯を見てみるとそうした表面的な言いがかりが当を得ているとは思えない実態があったことが分かる。

つい最近(4月29日)のNHKスペシャル「日本国憲法誕生」でもその制定の経緯が放送されたが、ワシントンの「極東委員会」での議論が詳しくなっているだけで、基本的にはアメリカの戦後史研究家のジョン・ダワーが詳述している「敗北を抱きしめて(下巻)」と同じ内容である。大体これが現時点での定説なのだろう。憲法制定の経緯についてのポイントは幾つかあると思うが、その主な点は次のようなものだと思う。

▼GHQの押し付けか

一つは「主権在民」、「象徴天皇制」、「戦争放棄」、「基本的人権」などの新憲法の基本理念が「GHQによる押し付けだった」という点である。これはある意味当たっているが、一方でそうならざるを得ない理由もあった。以下は、その経緯である。

GHQは終戦から2ヶ月も経っていない段階で、日本の軍国主義、封建主義を根底から解体して日本に民主主義を根付かせるためには、大日本帝国憲法(明治憲法)を廃止して新憲法を制定すべきだと判断、日本側にもその検討を促していた。これに対して日本政府は憲法問題調査会(松本委員会)を設けて検討を始めたのだが、その内容がいかにも時代遅れだったのである。

憲法改正の動きが伝えられると、政府の憲法問題調査会とは別に、12もの団体やグループが次々と独自の憲法草案を発表した。中には今の憲法に近い「象徴的天皇制」、「言論の自由」、「男女平等」といった新しい理念の提案も含まれていて、GHQもこれらの動きを注意深く見守っていたという。

しかし肝心の憲法問題調査会はそうした動きに全く無関心で、天皇が絶対君主として政治・軍事のすべてを統括するという「明治憲法の基本的精神」を何とか維持しようと独りよがりな努力を続けていた。すなわち、天皇条項を「神聖」から「至尊」に変えるなどの、10程度の修正で切り抜けようとしてGHQに見放され、GHQが独自に憲法草案を作るという動きにつながったのである。

「GHQの押し付け」とはいうが、こうした経緯をみると、政府の委員たちの方こそ世界情勢や国民の意向からかけ離れており、古い考えに囚われた政府委員会には新しい日本を作るという発想も能力もなかったことが分かる。

▼議論の時間は足りなかった？

二つ目は、憲法が「たった一週間で作られた」という点。確かにGHQによる草案作成作業は1946年2月4日に始まり、6日後の2月10日にマッカーサーに手渡され、2月13日に日本側に伝えられた。

GHQがこれだけ草案作成を急いだのは、ソビエトや中国を含む11カ国が参加した「極東委員会」の動きを警戒したからである。「極東委員会」を構成する国の間では、天皇の戦争責任を追求すべきだと言う不穏な空気が漂い始めていた。

これに対し、マッカーサーは2月下旬に予定される「極東委員会」の発足前に何としても民主的な憲法を制定して、天皇の責任追及の矛先を和らげようとしたのだという。GHQの占領政策をスムーズに行うためには天皇制の維持が欠かせないというのがマッカーサーの政治的判断だったからである。

しかし、誕生は一週間だったが議論の時間はたっぷりあったように思う。3月6日に素案が国民に公表されたあと、6月20日には国会が召集されて本格的な議論が始まり、「義務教育の延長」や「国民の生存権」、

「戦争放棄条項の修正」など、様々な修正や追加が行われた。これらはもちろんGHQの承認が必要だったが、公表から8ヵ月後の11月3日に新憲法は大々的に公布され、半年後の1947年5月3日に施行された。

▼憲法と戦後の日本

それから今年で60年。日本国憲法はその理念に沿って新しい日本の骨格を作ってきた。当然のことのようだが、私はこのことに改めて感心する。主権を国民に置き(主権在民)、天皇を象徴として政治から切り離したこと、中学までの義務教育の延長、男女同権などは、国民にとってもう後戻りの出来ない常識になっている。

修正の過程で、自衛力の保持は許されるのか、自衛のための戦争は許されるのかといった、あいまいさを残した第9条「戦争の放棄」も、何とか踏ん張って戦争の抑止力の働きを果たしてきたと言える。

▼憲法は国家百年の大計

今、安倍政権は憲法改正を政治課題に掲げて準備を着々と進めているが、実際のところ、憲法改正についての国民の関心はどこまで高まっているのだろうか。何をそんなに急いでいるのだろうか。改憲派の中には、一部を書き加える「加憲派」や9条の修正を目指す「修正派」のほかに、一から自分たちの手で書き換えるという「全面改訂派」まで様々いるらしいが、今のところ明確な考えは伝わってこない。

しかし、憲法改正派が「押し付けられたものを自分たちの手で書き直そう」などといった単純皮相な理由で、戦後60年以上続いてきた日本の歴史を無視しようとするのであれば、それは傲慢と言うものだろう。誕生の経緯はどうあれ、当時の日本国民は新憲法を持って新たな出発を誓い、60年以上にわたってその基本的精神を大事にしながら戦後の日本を作ってきた。その国民の思いと、60年と言う歴史の重みを忘れてはならないと思う。

従って憲法改正の議論は、日本国憲法が作ってきた戦後の日本をどう評価するかに裏打ちされなければならない。評価すべき点と評価できない点を明確にして、どこをどう変えるのか、それはどんな理念によるものなのか、それによって国民生活はどう変わるのか、時間をかけて納得行くまで議論する必要がある。

（２００７年5月20日）

戦争を始める論理

世界征服に取り憑かれたヒトラーや軍国主義の日本が始めた第二次世界大戦の後も世界では何度もの戦争が闘われてきた。膨大な戦争犠牲者を出して懲りたはずなのに、人間はなぜ戦争を繰り返すのだろうか。戦争を始めたがる政治家や軍人達に騙されないために、私たちはどうすればいいのだろうか。こんな素朴な疑問の一端を考えて見たい。

どんな戦争でも、戦争が始まる前には様々な、もっともらしい「戦争を始める論理」が登場する。それがまず、戦争を始めたい政治家、軍関係者によって声高に論じられ、やがて国民を悲惨な戦争に巻き込んでいく。それは戦前の日本だけでなく、アメリカのイラク戦争でも同じだった。

▼「アメリカの終り」

アメリカの政治思想家、フランシス・フクヤマの「アメリカの終り」はイラク戦争に関するアメリカの失敗を考察した本である。全体２３０ページほどでそれほど厚い本ではないが、出版されると(宣伝文句だから多少割り引くとしても）世界で一大センセーションを巻き起こしたという。なるほどそうかもしれない。その内容は、イラク戦争の泥沼でもがいているブッシュ政権の心臓をえぐるような衝撃力を持っている。

彼はアメリカのブッシュ政権の中枢を占めていた、いわゆる「ネオコン」（ネオコンサーバティブ＝新保守主義者）たちと同じ思想を共有していたというが、イラク戦争をきっかけにネオコンと袂《たもと》を分かった。本の中で彼は、20世紀半ばから始まったネオコン思想の歴史と、その思想的特徴を整理し、その上で今回のイラク戦争ではいかにその思想がゆがめられていったかを一つ一つ指摘していく。

▼ブッシュ政権の「予防戦争」

ネオコンはその思想的特徴の一つとして「アメリカの力を道義的目標に使うことが出来るという信念」を強く持っていたが、フクヤマによれば、ブッシュ政権内のネオコンたちは力と道義（正義）を結びつけることが可能であると考え、いつの間にか国家目標の達成の手段として力、なかんずく軍事力を過大評価するようになってしまった、と言う。

その端的な例が、２００２年に発表された「先制攻撃ドクトリン」である。その中で、ブッシュ大統領は差し迫った危険に対する「先制攻撃」を拡大解釈して、何ヶ月、あるいは何年も先に実現しそうな脅威に対する「予防戦争」までをもアメリカの採るべき戦争に含めたのである。

▼イラクへの予防戦争

ブッシュ政権の「予防戦争」論は、もちろん２００１年の9・11同時多発テロ事件以後の「テロとの戦い」の中からで出てきたものだが、はじめから対イラク戦争を念頭に置いて唱えられ、実際にイラク戦争に道を開く論理として使われた。ブッシュ政権は、「ならず者国家(イラク)による核保有」と「その核が過激派に手渡されて起こる核のテロ」とを一つの文脈で結びつけ、盛んにイラクの脅威を煽り立てて戦争に踏み切ったのである。

しかし、それは愚かな失敗だった。冷静に考えれば仮にフセインが核を持ったとしても自分がコントロールできない過激派に核を渡す可能性は小さかったし、肝心のイラクが核保有の意志はあったかもしれないが、本当に核を持っているかどうかさえはっきりしなかったのである。結果的に、イラクに大量破壊兵器(核と生物化学兵器)は存在せず、アメリカは中東に、いつ終わるとも分からない混迷状態を作り出してしまった。

▼予防戦争の難しさと愚かさ

何ヶ月、あるいは何年も先に実現しそうな脅威に対する「予防戦争」が正しいかどうかを判断するのは、至難の業である。ある人は、ペリクレス(ギリシャの賢人)やソロモン(古代イスラエルの賢者)を合わせたような英知が必要だともいう。未来から歴史を評価するような「神の目」が必要であり、これは殆ど人知を超えているということでもある。

その難しさの第一は、たとえばフセインとその体制がこの先も不変なものなのか、特定することが極めて難しいということにもよる。その特定を間違えると、避けることが出来るはずの戦争が起きてしまう。

アメリカはこの予防戦争の明確な基準を示すこともなく、軍事力を過信して外交努力を尽くすこともなく、「予防戦争」という言葉におされるように戦争に突入してしまい、今は世界中に失敗をさらしている。予防戦争について、偉大なるドイツの宰相ビスマルクは20世紀初頭、協調路線を取らないロシアに恐れを抱き、力をつける前にロシアを叩こうと主張する人々に対し、「死ぬのが怖くて自殺するようなものだ」という名言を吐いている。

▼戦前日本の予防戦争論

実は、これと全く同じような「予防戦争」論が戦前の日本でも軍人や政治家の頭に取り付いてしまったのである。その典型的な例が、昭和8年の「対ソ予防戦争論」と「中国一撃論」の対立だった。（半藤一利「昭和史」）

簡単に言えば、革命後のソ連が国力をどんどんつけてきていることに対して、「ソ連が強くなる前に叩いたほうがいい」と主張する一派と「その前に日本を敵視している蒋介石の中国を一撃でもって屈服させ、その後にソ連を叩く方がいい」という一派の論争だった。

結果的には「中国一撃論」が勝って日本は日中戦争の泥沼に突入していくのだが、どっちもどっちだった。目の前に危険が差し迫ったわけでもない段階での予防戦争論は、アメリカを始めとする世界列強が介入する可能性や広大な中国大陸での戦いの困難さなどについて、緻密なリスク評価もない勢いだけの「机上の空論」に近いものだった。

太平洋戦争は総じてこのような安易な戦争論に引っ張られた感がある。「このままでは日本はジリ貧になる」と言って自存自衛や八紘一宇の名分のもとに開戦を主張する東条英機たちに対して、良識派の米内光正は「ジリ貧を避けようとしてドカ貧になったらどうするか」と言ったというが、戦争によって日本はまさに悲劇的な「ドカ貧」に陥ったのである。

▼あらゆる戦争論を警戒せよ

戦争を始めたい勢力は常に耳障りのいいスローガンや、まだ差し迫ってもいない脅威を差し迫っているかのごとく言い立てる。残念ながら(戦前は全部だったが)一部のマスコミもそれに同調して煽り立てる。「戦争に道を開く論理」は予防戦争であれ何であれ、それがもっともらしく言われ始めたら要注意。威勢のよさに気おされることなく、その危険性を冷静に見抜いて論破しなければならない。「戦争は万策を講じて回避しなければならない」――これは核時代に生きる我々現代人が多大な犠牲を払って得た歴史の教訓なのである。

（２００７年８月31日）

映画「風立ちぬ」の時代と戦争

宮崎駿監督の最新作アニメ「風立ちぬ」は、宮崎駿の世界が凝集された切なくも美しい映画だった。プロデューサーの鈴木敏夫が「これをやろう」と言った時、監督は「アニメーション映画はこどものためにつくるもの。大人のための映画はつくっちゃいけない」と怒ったらしいが、「こどもたちもいつか大人になって分かる日がくる」という意見に折れて、この「風立ちぬ」を製作したという。

そのためか、映画を見た人たちのネット上の感想は賛否両論。「泣けて泣けて」というものから「腹立ちぬ」というものまである。確かにこの映画に感情移入するには、ある程度、戦前の時代背景が分かっている必要があるかもしれないが、書きこみ内容を読んでいると、そうした、つい昨日の日本の歴史さえ若い世代に全く共有されていないという現実にも愕然とする。

宮崎監督については、最近の「憲法を変えるなどもってのほか」(スタジオジブリの特集「憲法改正」)と言う発言もあって、右派の軍事マニアからは彼にゼロ戦など描いてもらいたくない、という難癖がある一方で、左派的な人たちからは、戦争協力者とも言える「ゼロ戦開発者(堀越二郎)」を賛美したという非難もある。

しかし、よく見るとあの映画の陰の主役は「戦争の持つ不条理性」だということも分かるし、戦争を批判するのは監督の一貫した姿勢でもある。そうした皮相的な批判を超えて、この映画にはいつの世にも普遍的に訴えるテーマがある。それはどういうことなのか。プロデューサーが「宮さんの遺言」と言っている、宮崎監督最初の「大人向けのアニメ映画」について書いておきたい。

▼描かれた昭和という時代

アニメに描かれた時代は、主人公、堀越二郎の幼少期は別として、彼が大学で航空機設計の勉強をしようと上京した日の関東大震災(大正12年、1923年)から始まる。卒業して三菱内燃機製造(現、三菱重工業)に入り、海軍の要求で、九六式艦上戦闘機(昭和10年)や、零式艦上戦闘機(ゼロ戦、昭和12年)など、世界の名機と言われる艦上戦闘機を次々と開発する。それは、戦争の気配が次第に濃厚になっていく昭和初期から10年代にかけてだった。

日本の技術がまだまだ遅れていて、先進国のドイツからいじわるされながら教えて貰っていた時代でもある。アニメとしては画期的な関東大震災の火災の中を逃げ惑う大群衆の絵もさることながら、この映画の中には戦前のそうした時代背景、風景や人々の暮らしが丁寧に描かれている。同時に、その頃の様々な文学や事件からヒントを得たエピソードも脚色されて盛り込まれている。

例えば、肺結核で婚約者を失う堀辰雄の同名の小説「風立ちぬ」(昭和12年)、スイス高地の結核療養所(サナトリウム)での体験を描いたトーマス・マンの「魔の山」(1924年)である。堀越二郎の婚約者の菜穂子も、小説「風立ちぬ」のように、結核を病んで山の療養所で最期を迎える。さらに、戦前の有名なスパイ事件(昭和17年)で処刑されたゾルゲらしき人物も登場したりする。

「魔の山」は読み終えたという達成感だけが記憶に残っている長編だが、こうした文学を読むまでもなく、戦前の肺結核が死に至る病だということは、私なども良く聞かされた。母方の一族は肺結核で没落したようだし、私の幼児期には、母も肋膜炎を患って微熱に悩まされており、寝る時も別にされた記憶がある。使用人に背負われて真っ赤な火を見たと言う、関東大震災の時の記憶も母から何度か聞かされた。

死病と言われた結核。迫りくる戦争の足音。その中で懸命に生きた様々な人生。そうした時代の風景は、終戦の年に生まれた私の頭の中にもある程度は感覚として入っている。一人の力ではどうにもならない、そうした難しい時代を背景にして見れば、それだけで映画が伝えているものの大きさが分かって来るように思う。

ただ、どの程度の基礎知識があれば、あの映画が心に響くのかと言えば、それは人それぞれではないだろうか。知識がなくとも想像は出来る。こういう時代があったのだと想像するだけで、感動出来るように映画は作られている。それに、描かれた技術者や恋人たちのエピソードは、時代を超えて心に響く普遍的なテーマでもある。

▼技術者たちの夢と戦争

技術者と言えば、少年の頃から飛行機にあこがれて、飛行機の設計を目指した(俗なところが全くない)堀越二郎の若き天才ぶりがいい。東京帝国大学航空学科を首席で卒業し、入社した三菱では早速、ドイツ留学を命ぜられ、帰国後は設計チームのリーダーを任される。「美しい飛行機を作りたい」という一念で、世界最高性能の戦闘機の開発に没頭する。会社の上司もそんな若き天才にすべてを託す。年功序列も何もない、その分かりやすさが却ってすがすがしい。

堀越を支えるユーモアたっぷりの個性的な上司が実にいい味を出している。戦時中とはいえ、開発チームはただ、独創と技術だけを追い求める純粋な技術者集団となっている。課長もその上司も堀越も、注文主の海軍将校たちの演説を適当に聞き流す。ひたすらに技術だけを追い求める堀越の姿には、飛行機好きの宮崎監督自身の姿が重なっているのだろう。その上司が、やがて堀越二郎の青春をかけた恋の見届け役を果たす。

▼切なく一途な恋

技術一筋に生きて来た堀越青年が運命の恋人に出会う。それが映画「風立ちぬ」のメイン・ストーリーだ。細かい経過は書けないが、そこには互いに惹かれあう男女の一途な恋がある。しかし、運命のいたずらで婚約者の菜穂子は結核を病み、やがて吐血するまでになる。それを聞いて、名古屋から駆けつける二郎。列車の中で広げた二郎の研究ノートの上に涙のしずくが落ちる。

ある晩、一旦は、山のサナトリウムに入った菜穂子が矢も盾もたまらずに病院を抜け出し、二郎が居候する上司の離れ屋を訪ねて来る。そこで、例の上司が　2人の間を認めて粋な計らいをする。二郎と菜穂子、上司夫妻の4人だけの結婚式。これが泣かせる。それからのひととき、菜穂子は同居しながら二郎の設計の行方を見守る。一日一日をかけがえのない日と感じながら。

そこに描かれているのは、現代人が忘れかけている一途な思いである。そして、花嫁姿の美しさ、凛々しさ、いさぎよさ、切なさ、はかなさ、がある。ようやく満足のいく設計を仕上げて疲れ果てて帰宅し、病床の菜穂子のそばで眠り込んでしまう二郎に、菜穂子が優しく自分の布団を掛けてやる。宮崎監督のアニメが実にこまやかだ。

▼戦争の大いなる空しさ

堀越二郎が設計したゼロ戦は、戦争初期において世界の最高傑作だった。芸術品のようで量産が難しいと言われたが、それでも4年間に1万機が作られた。しかし、敗色濃厚な戦争の終わり頃には、「神風特攻隊」の体当たり機にも使用され、殆どが帰って来なかった。映画の終盤、二郎の回想シーンには、大群の鳥たちのように大空を飛んでいくゼロ戦の連帯飛行のシーンがあり、その後で地上や海底で累々と屍のように朽ち果てたゼロ戦の群れが描かれる。三菱の技術者集団と一人の天才技術者。彼らが命を掛けて開発したゼロ戦の末期《まつご》である。

夢の中のシーンでは、既に亡くなった菜穂子も出て来るが、それも風の中に消えて行く。この回想シーンに描かれているのは、大いなる空しさではないか。懸命に生きようとした人々の努力を押しつぶす戦争の空しさ。戦争は、当時の人々の日々の暮らしや思いを、竜巻の旋風のように根こそぎに吹き飛ばす。前出のスタジオジブリの「憲法改正特集」を読んでも分かるが、映画「風立ちぬ」には、甘く切ない恋の物語ばかりでなく、「戦争だけはしてはいけない」というスタッフたちの思いも込められているのだと思う。

（2013年7月30日）

集団的自衛権のその先に

戦後70年近くの間、戦争放棄を宣言した憲法9条の存在は、単に戦争しないということだけではなく、（後述するように）目に見えないところで平和国家と戦後民主主義という「この国のかたち」を作って来た。それが大きく変わるきっかけになるのか。5月15日、安倍首相は私的な懇談会(安保法制懇)の報告書を受けて、集団的自衛権を容認するとし、与党内の協議を経て閣議決定を目指す考えを表明した。

集団的自衛権とは読んで字のごとし、自国と密接な関係にある国が他国から攻撃を受けた場合に日本が共に戦うことを意味する。密接な関係にある国とは現時点では(この50年間に5回の戦争や紛争を戦って来た)アメリカだ。安倍首相特有の国家観に基づいて、日本が憲法9条の縛りを緩くして、世界の中でより戦争に参加しやすい国に変貌して行く時、その先に何が待っているのか。戦争で自衛隊や国民が血を流すのとは別な意味で重要な、「この国のかたち」の変化について考えてみたい。

▼大事なことを変えるのに、その本質を矮小化し、情緒化する

集団的自衛権の議論はもともと、同盟国のアメリカが日本のために血を流しているのに日本が血を流さなくていいのか、という安倍の思い(「この国を守る決意」)から出発している。金は出すけど軍隊は出さないという現在の〝片務的な関係〟をできるだけ対等に近づけ、日米軍事同盟を強化したいという思惑からである。

この集団的自衛権は憲法9条によって禁じられているというのが歴代内閣の見解だったが、安保法制懇は、従来許されるとされた(個別的自衛権の)「必要最小限度の実力行使」の中に、幾つかの限定条件をつければ集団的自衛権も含まれるとした(限定容認論)。これを受けて安倍は、15日の記者会見でも「限定的」、「必要最小限」を連発して、集団的自衛権の容認を国民に訴えたのである。

同時に、こどもや赤ん坊を抱いた母親を描いた説明図を使って、紛争地の外国からアメリカ軍が日本人を乗せて運ぶ途中に攻撃されても、今の自衛隊はアメリカ軍を助けられない、などという情緒的説明を多用して国民の心情に訴えた。しかし、アメリカ軍が海外の日本人を軍艦で運ぶというようなケースが実際にあり得るのか、また（与党の公明党からも）こうした事例は日本が独自に行う「個別的自衛権」で充分対応できるなどと反論もされている。

集団的自衛権は、戦後の安全保障政策の大転換である。もともと無理筋のその容認を、憲法改正をせずに行うというので、論理矛盾と論理のすり替えを見透かされないように、的外れな情緒的説明を持ちだす。また、抽象的な「国民の命と暮らしを守る」を20回以上も連呼したり、容認しても大事（戦争）にはならいと矮小化したり。堂々と理詰めで説得するのではなく、その態度そのものが胡散臭く、姑息で情けない。

▼戦争がいったん始まったら、コントロール出来ない

そうした〝まやかしの説明〟の最たるものが、集団的自衛権の「限定容認論」と言ってもいい。その行使を「我が国の安全に重大な影響を及ぼす」ケースなどに限定すれば、「日本が再び戦争をする国になるといった誤解がある。しかし、そんなことは断じてない」と安倍は言う。しかし、他国軍（アメリカ）に加勢するということは、相手から自分も敵とみなされ、場合によっては自国が攻撃される戦争に発展する。

戦争は一旦始まればその展開は測りがたく、どこまで拡大するか分からない。また、収束するには始める時の何百倍ものエネルギーと犠牲がいる。これは歴史の教訓である。為政者が幾ら「必要最小限」だとか「限定的」などと考えても、それが出来ないのが戦争というものである。こちらの都合に合わせて、「必要最小限に」戦争するなどということそのものが、現実無視の無責任というものである。

それでもなお集団的自衛権を容認すれば、「能動的に国を守る」という安倍たちのイメージがどうあれ、その先には（同盟国とともに）「戦争が出来る国」、「進んで戦争に加担する国」ができあがる。これは、戦争放棄を掲げた憲法9条の形骸化であり骨抜きであり、憲法9条改正のハードルを下げることにもつながってい

くだろう。そして憲法9条の否定は、戦争で自衛隊や国民の命が失われるということとはまた別の、深刻な影響をこの日本に及ぼすものと思われる。それは端的に言えば、平和憲法が作って来た「この国のかたち」を破壊することだが、具体的にはどういうことなのか。

▼「戦争できる国」の〝落とし穴〟

それは、「国を守るためには武力行使を辞さない」という考え方が生み出す政治的、社会的影響と言っていい。口では「国民の命と暮らしを守る」と言いながら、国家や同盟国を守ることを最優先に考え、戦争で負けないための価値観を国民に強制的におしつける。そこに具体的にどんな〝落とし穴〟が待っているかを、戦前の軍国主義の日本や最近の日本、そして民主国家を標榜する一方で軍事大国でもあるアメリカを例に列挙してみる。

一つは、「国民の知る権利」を侵す秘密国家への変身である。(日本の場合は特に)国防、外交に関る殆どの情報が秘密扱いになって国民に知らされない。民主主義の基本である国民の知る権利が、政治、軍、官僚の恣意的な裁量によって、歯止めなく侵される。日本の「特定秘密保護法」も、もともとはアメリカとの共同軍事作戦を可能にするために作ったものだが、本家アメリカの秘密保護政策に比べて一段とひどいものになっているのは、どうしてだろうか。

二つは、日常的な人権侵害である。実際に「戦争をする国、戦争に勝てる国」を目指すとなれば、国を守ると言うことが最優先になる。それが国民一人一人の権利より優先されるために、自国民への監視、思想的介入、敵国市民(場合によっては自国民)の超法規的な拘束や拷問が日常的に行われて行く。これは戦前の日本ばかりでなく、アメリカの市民監視を可能にした「愛国者法」などの特徴でもある。

三つは、軍部の政治的発言力が増すことである。軍部の横暴、横やりがまかり通ることである。これは(今の自衛隊からは想像しにくいが)平和憲法のもとで軍のシビリアンコントロールを厳しく律して来た戦後の日本の方が例外的で、現在も軍部の発言力が強い国々は多い。この歯止めが効かなくなった時の最悪のケースは、戦前の日本だった。軍が暴力を振りかざして政治に介入し、国民は軍を恐れて暮らすようになる。

四つは、戦争をしたがる冒険主義者の登場である。軍部と産業の利害が密接に絡んで来ると政治家と癒着し、国の危機や国策・国益を煽りながら戦争をしたがる輩が必ず現れる。国の運命を弄ぶ冒険主義者はどこにもいて、戦前は天皇や政府の意向に逆らって戦線を拡大したり、謀略を仕掛けたりする軍人が続出した。これはアメリカも同じ。戦争を起こしたがる人々(軍産複合体、ネオコンなど)はどこの国にもいる。

▼平和憲法が支えて来た戦後民主主義

以上は、平和憲法が骨抜きになったり、改正されたりした場合の「戦争ができる国」の〝落とし穴〟だが、特に日本は歯止めの効かない国だという自覚と反省がない。武力行使への機会が増えれば、あっという間に勇ましい「国防論議」が満ちあふれ、戦前のように「日本は神の国」といった誇大妄想や、中国に飲み込まれるといった被害妄想が社会にはびこる。メディアも一緒になってそれを煽る。

そうした日本の性格を考えると、単に戦争を放棄したというだけでなく、上に書いたような弊害を抑えて、戦後の民主主義的な国のかたちを作って来たという意味で、憲法9条の功績をもっと評価すべきではないかと思う。「戦争が出来る国」を目指すことはそうした役割を破壊し、戦後日本の「国のかたち」を再び根底から覆すことにもつながる。それが、安倍たちが考える「戦後レジームからの脱却」なのだろうか。

(2014年5月22日)

日本の何を守るのか

大方の予想通り、結局は公明党が文言を修正した集団的自衛権を受け入れ、来週にも閣議決定が行われる見通しになった。これで自衛隊が他国のために日本の領土外や領海外で武力行使する道が開かれることになる。戦後日本の「国のかたち」を作って来た憲法9条を実質的に骨抜きにする拡大解釈だが、その実質は国民の間にどのくらい実感を持って理解されているのだろうか。

集団的自衛権の内容は、現実に海外での戦闘のために自衛隊を派遣する時や、派遣した自衛隊員に戦死者が出た時にならないと、実感を持って受け止めることは出来ないだろう。それは政治家も同じ。今、「も」を「が」に変えるなどと、細かい字句の修正を巡って議論している議員たちも、本当に現実感を持っているわけではなく、自分たちを納得させるための言葉遊びをしているに過ぎないように見える。

▼日本の何を守るのか

当事者の安倍は口を開けば「国民の命と暮らしを守るため」を強調する。また、旗振り役の高村正彦(自民党副総裁)なども「国際情勢が変わって来ているのを考えれば、外国に攻められないための必要な措置」だと、中国の脅威を匂わせながら言う。私も、中国の南シナ海への膨張を踏まえて、日本の安全を守るには日米が一体になるしか途はない、そのためにも集団的自衛権を、という外交評論家の岡崎久彦の言い分(「月刊文春」7月号)等を読むと、そうかなと思うこともある。

しかし、「国民の命と暮らしを守るため」という安倍の決まり文句を、額面通り受け取ることは出来るのか。一体、その主張の裏にどんな思惑が隠されているかを冷静に考えると、「待てよ、本当にそうなのか」と思う。一体、彼らは集団的自衛権によって日本の何を守ろうとしているのだろうか。そう自問すると、彼らはその言葉の陰でもっと別なことを考えているのではないか、という疑念が湧いて来る。

▼「国民の命と暮らしを守る」とは無関係

まず防衛問題で直接、国民の命と暮らしに響く場合とは何か。それは、日本の国土が攻撃される事態しかない筈だ。例外的に、海外で紛争が勃発して、そこにいる日本人を助けるという事態が生じても、事前の渡航禁止や一時引き上げなどで充分間に合ってきた。仮にそれが突発的であっても、自衛権の範囲で対処すべき問題で、それ以上の規模の〝戦争〟は、戦争放棄を謳った現憲法を改正しなければ不可能。一方、国民が住む国土が直接攻撃される場合には、それに対応するためにこそ自衛隊があり、日米安保がある。

百歩譲って、直接「国民の命と暮らしを守る」には響かないが、無人島などの日本の領土(尖閣諸島)が武力攻撃を受ける場合はどうか。その場合でも「尖閣は日米安保の範囲内」とアメリカが言っている以上、集団的自衛権がなくとも機能するはずだ。従って、直接「国民の命と暮らしを守る」に結び付くような事態と、集団的自衛権は関係ないことになる。

では、直接には響かないが間接的脅威がある場合とは何か。閣議決定の「文言」には、直接「国民の命と暮らしを守る」ではないもう一つの言葉が、布石のように挟まれている。すなわち、「他国への攻撃で、国民の生命、自由、幸福の〝権利〟が根底から覆される明白な危険がある場合」というように、守るべきは「国民の命と暮らし」そのものではなく、その「権利」と微妙に幅を持たせている。

「権利」が覆される事例ならば、例えば(アメリカへの攻撃で)国民生活に影響のある資源(例えば石油)の確保や食糧の輸入が困難になることなどまで、いかようにも拡大解釈できる。それに、公明党がこだわった

「明白な危険」という文言も、明確な基準があるわけではなく、あくまで主観的なものだ。従って集団的自衛権は、本来は自衛権で守るべき「国民の命と暮らし」とは関係なく、結局は、どこまでも拡大解釈ができる「他国(アメリカ)への〝義理だて〟」ということに他ならない。

▼「国益を守る」の落とし穴

集団的自衛権を進めている人々は、その義理だてによって日米同盟がより強固になることを、「国益」だと考えているのだろう。アメリカと一緒になって血を流すことがなければ、日米同盟が十分機能しないと考えているのだ。なら、「国民の命と暮らしを守る」などと綺麗事を言わずに、「日本の国益を守る」ためだと正直に言えばいい。しかし、それで国民を説得できないことは、彼らも承知している筈だ。何しろ「国益」ほど、あいまいで都合のいいものはないからだ。

戦前の日本も「大陸は日本の生命線」とか、「満州の権益を死守する」、「南方への進出は死活問題」などと言って戦争を拡大した。その名分に使われたのが、常に「国益」だった。武力行使の歯止めが外れれば、他国への攻撃を「国益」を口実に掲げて戦争に訴えようとする国粋主義者の声は、たちまち大きくなる。これは歴史の教訓。今の自民党が仮に「アメリカと日本は一体なのだぞ」という看板だけで隣国への抑止力になると思っているとすれば、それは単純過ぎる。

私は、幾らなんでも今の自民党執行部が、戦争がしたくて集団的自衛権を持ちこもうとしているとは思わない。安倍も「国民の生命と暮らしを守る」と言っているが、それは建前で本当の所は、それで「国益を守る」のだと考えているのだろう。その主張の根底には「日本の国益を考えるのは我々しかいない」という自負もあるに違いない。しかし、「国益を守る」ための集団的自衛権には、(中韓に対する)ナショナリズムの暴発やアメリカの要請を断れないなど、幾つもの落とし穴が待っている。

さらに私は、彼ら政治家の頭の中には、「アメリカとの同盟強化のためには、多少の犠牲を払うのも仕方がない」、「それが日本の国益を守る代償なのだ」という、思考があるのではないかと密かに想像している。しかし、それが現実にはどういうことなのか。また、彼らが言うような限定的な武力行使などが可能なのか。今、武力行使で戦死者を出すというリアリティーを、どれだけの政治家が持っているのだろうかと危惧せざるを得ない。

▼平和国家のリアリティーをこそ

一旦、集団的自衛権が成立してしまえば、いざという時に同盟国アメリカの要請を断ることは極めて難しくなる。折角、武力を使えるようにしたのに、あれこれ(公明党がこだわったような)理由をつけて派兵を断れば、逆に関係がこじれるからだ。その結果は、集団的自衛権によってアメリカと同盟を結んでいる国々がどのような犠牲を払っているかを特集した、朝日の記事を読むと良く分かる(6／18、6／19)。

アフガンやイラク戦争に参加したイギリスが出した戦死者は、これまでに453人。のべ2万人を派遣したオーストラリアは、アフガンで40人の死者を出している。ベトナムでアメリカとともに戦って5000人の死者を出した韓国も、アフガンやイラクに軍を派遣して犠牲者を出している。以前、カナダに行った時に政府庁舎の上に(兵士が戦死したことを示す)黒い半旗が掲げられていたのを目撃したが、カナダもアフガンで158人の死者を出している。

集団的自衛権を唱える政治家たちは、首相が掲げるアメリカとの同盟強化や、「積極的平和主義」のためには、こうした犠牲を払うこともやむを得ないと考えているのだろう。自分たちが考える国益のためなら最悪、数百人規模の自衛隊の犠牲は仕方がない、と考えているのかもしれない。というより、それが集団的自衛権の本質であり、掛け値のない実体と言うべきだろう。それは、首相が主張する「国民の命と暮らしを守る」とは別のことだ。

日本は、先の大戦の反省から「二度と戦争はしてはいけない」を国是として平和主義を貫いて来た(「今、不戦の誓いとは」2005・12・11)。そのためにこそ、万策を尽くして平和外交を模索しなければならないと考えて来た。それが戦後日本のリアリティーだった筈だ。日米同盟を堅持するのは結構だが、平和国家のリアリティーを無視して、武力行使に前のめりになる人々に口実を与えるような危険を冒してはならないと思う。集団的自衛権が次に、戦後日本の「国のかたち」を根本的に変える憲法9条の改正につながるのであれば、なおさらのことである。

(2014年6月28日)

一億総玉砕と日本殲滅作戦

前にも書いたが、先の太平洋戦争では日本人の戦争犠牲者が軍人・軍属、海外と国内の民間人合せて310万人に上った。そして意外なことに、その9割は「絶望的抗戦期」と言われる戦争末期の1年間に生じた犠牲だった。サイパン島が陥落(1944年7月)した以後、敗色濃厚の中でもなお、戦い続けることに固執した日本軍部。日本は何故、最後の最後まで戦争を止められなかったのか。その敗戦末期にどのようなことが日米双方に起きていたのか。その恐ろしい現実を知るにつけ、「私たち日本人はどのような民族なのか」を考えさせられる。

▼仮に8月15日の終戦が延びたら

１９４５年の夏に向けて、日本は戦争の最終局面を迎えつつあった。６月には、沖縄が陥落。７月26日には、陥落したドイツ・ベルリン郊外のポツダムに集合した米国、英国、ソ連の３カ国の首脳が「全日本軍の無条件降伏」を求めた「ポツダム宣言」を発する。これに対して、日本政府(鈴木貫太郎首相)は黙殺を決め込み、これまで同様の戦争完遂を発表した。枢軸国として一人残った日本は、あくまで戦うことを宣言したわけである。

それからの20日間、天皇の「聖断」によって日本が無条件降伏を受け入れた経緯については、「日本のいちばん長い日」(半藤一利)に詳しい。この間、８月６日の広島への原爆投下、９日のソ連参戦、同日の長崎への原爆投下があり、降伏受け入れを巡って、軍部(陸軍)の反対があり、最終的には8月14日から15日未明にかけての陸軍のクーデター計画、天皇の詔勅録音盤を奪う動きなどがあった。それは、実に際どい終戦だった。

仮に陸軍の反乱計画が一時的にでも成功し、天皇が長野県松代町(現、長野市)に作られていた地下大本営に拉致されて、徹底抗戦を唱える軍部が実権を握った時には、日本はどうなっていたか。アメリカは日本をどうするつもりだったのか。当事者の日本軍は何を考えていたのか。国民は、こうした動きを知っていたのか。どう思っていたのか。最近になって、こうしたことを教えてくれる3冊の本をようやく読み終えた。

一冊は、１９９５年にトーマス・アレンとノーマン・ポーマーという２人の作家によって書かれた「日本殲滅〜日本本土侵攻作戦の全貌〜」。膨大な資料に当たって、当時のアメリカがどのように日本を降伏に追い込むか、日本本土への上陸作戦、日本軍殲滅への道筋を追ったノンフィクションである。一方、アメリカの「日本殲滅作戦」を、日本側から検証したのが「本土決戦幻想〜オリンピック作戦編」と「本土決戦幻想〜コロネット作戦編」(保坂正康)の２冊である。

▼恐怖の「日本殲滅(ダウンフォール)作戦」

連合国側は6月にドイツが降伏した後も、日本は戦い続けると見ていた。その現実を直視し、さらに沖縄での米軍の予想外の損失も踏まえて、アメリカ軍は日本本土侵攻後も16ヶ月にわたって戦いを続け、最終的な戦争の終結を1946年11月と見た大規模な作戦を練っていた。それは、徹底的な「日本殲滅(ダウンフォール)作戦」だった。

ダウンフォール作戦は2段階に分かれている。最初は、1945年11月1日の南九州上陸作戦(これをオリンピック作戦という)。宮崎や薩摩半島から侵攻して九州の南半分を占領、そこを基地化して首都圏爆撃を強化する。さらに、翌1946年3月1日を期して千葉県の九十九里浜と相模湾の両方から上陸作戦を敢行(これをコロネット作戦という)。両軍が首都東京を挟撃する形で関東を占領するというものである。しかも、その事前攻撃はまさに恐怖の作戦だった。

関東平野への上陸作戦には海兵隊だけで57万5千人を投入。事前に180日にわたる艦砲射撃と空爆で上陸地点の日本軍を徹底して叩き、関東平野には農作物が出来ないように枯れ葉剤を撒く。東京上空は、連日1000機の爆撃機が32万トンの爆弾を落とす。それだけで東京は灰燼に帰しているのに、さらに米軍は自軍兵士の損害を少なくするために毒ガスや、広島、長崎後に作られた原爆も使う予定だった。

アメリカのプルトニウム型原爆の生産能力は12月までに、一月に7発になると見込まれていた。オリンピック作戦やコロネット作戦実施時には、さらに9発の原爆を投下する計画にもなっていた。アメリカ軍上陸までに日本は破壊しつくされ、犠牲者の数は膨大なものになっていたはずである。

▼日本軍部の恥ずべき狂気と異常心理

この「日本殲滅作戦」は、8月15日の無条件降伏の受け入れによって実際には行われなかった。それだけに、これまでは敗戦時の天皇の決断や一部軍部の反乱については知っていても、歴史の教育でもあまり教えられることもなかったように思う。ただ、半藤一利の「日本のいちばん長い日」や「聖断〜昭和天皇と鈴木貫太郎〜」等を読むと、日本は当時44歳の天皇の決断によって奇蹟的に救われたのであり、まかり間違えば大半の日本人は軍部の狂気に付き合わされて、破滅の道を歩んでいたかもしれないことが胸に迫って来る。

アメリカ軍の物量作戦と機動力に対して、当時の日本軍は何を考えていたのか。保坂正康の「本土決戦幻想」2冊を読むと、口では「皇土死守」、「聖戦完遂」、「一億総玉砕」、「一億総特攻」などと言いながら、彼らが米軍に対してどんなイメージも持っていなかったことが哀しいほどに分かる。その端的な考えが「竹やり300万本論」である。九十九里浜の至る所に穴を掘り、戦車が上陸してきたら竹の先に爆弾をつけた兵士が飛び込む。あるいは刀、槍、ナタ、出刃包丁等を使って刺し違える。それを国民にも強要する。要するに、物量作戦対体当たり攻撃でしかなく、まさに原始的な闘いだった。

当時関東にいた1200万人をどこに移すかも全く考えておらず、ただ国民も喜んで皇土死守の犠牲になるだろうと、軍人的精神論を押しつけるだけだった。さらに、陸軍が最後まで降伏に反対した理由が「国体護持」(天皇制を守る)である。そこには、天皇のために戦って来たという陸軍の面子を守る狭い了見しかなく、「国民の生命と財産を守る」ための軍隊と言う考えは微塵もなかった(保坂)。天皇は、そのことをよく理解していた。

後にA級戦犯となった東条英機は「戦争は負けたと思った時が負けだ。決して負けたと思うな」と言い、神風特攻隊を創設した大西瀧次郎(海軍中将)は、「国民の4分の1が特攻作戦で死に、血染めになったこの国の様子を見てアメリカはもうやめようと言いだすだろう。その時が講和の時だ」と言った。まさに異常心理としか言いようがなく、日々膨大な数の国民を死なせながら、なおこうした狂信的な考えが軍部の主流を占めていたのである。

それは昭和に入って軍部独裁を勝ち取って大陸を侵略し、ファシズムの道を歩んで来た日本の当然の帰結だったかもしれない。しかし、アメリカの「日本殲滅作戦」の実体も知らず、一億総玉砕を唱えて何千万と言う国民を死なせたら、日本人は歴史に残る恥さらしになっていただろう。先の戦争で死んだ国民は３１０万人、うち陸軍兵士は１６５万人だが、その死者の６割から7割は、軍中枢の無能から来る餓死だった。しかも、こうした日本軍によって殺されたアジア人は２０００万人に上る。あの戦争は今の政治家がどう言おうと、「日本民族最大の愚行」なのである。

▼日本人の奥底に潜む狂気と無力

それにしても、国民の命を紙クズほどにしか考えない権力者の異常心理は何故生まれたのか。終戦間際に、連日の空襲で大損害が出ているにも拘らず、「損害軽微」を伝える大本営に対して、作家の大佛《おさらぎ》次郎は日記に「その時、国民はつながれた羊の如く、おとなしくじっとしている」と書いた。権力者は勝手な論理のために平気で国民を犠牲にすること、そして、国民の方もそれを大人しく受け入れてしまう一面があることを、70年前の教訓として、私たちは強く自覚しておく必要があると思う。

（２０１４年12月17日）

自衛隊が日本軍になる日

２０１４年に公開された、クリント・イーストウッド監督の「アメリカンスナイパー」という映画がある。戦争映画の興行成績を塗り替えた大ヒット映画なので、ご覧になった方も多いだろうと思う。イラク戦争において「伝説の狙撃手」と言われた実在の人物クリス・カイル(アメリカ海軍、故人)を描いた映画だが、彼は２００３年に始まったイラク戦争において、４度も派遣され、ファルージャなどイラクの激戦地を転戦、退役するまでに１６０人のイラク人を殺害したという。

映画の前半は、アメリカの特殊部隊に入隊を志願する主人公が、徹底的な訓練を受ける場面から始まる。多くが脱落するような超人的な訓練を通して、彼は人を反射的に殺害する「殺人マシーン」に変身していく。１６０人と言うのは公称で、実際は２５５人を殺害したとされるが、その中には市街地でアメリカ軍に迫撃砲を向ける母と幼い子(映画では、子どもに対しては引き金を引かないで済んだことになっている)も入っている。戦争に参加するということは、多かれ少なかれ、兵士一人一人が人を殺す機械にさせられていくということなのである。

テロリストが住民に紛れ込む現代の戦争は、誰が敵なのか容易に判別できない。兵士はイラクの市街地で一軒一軒、敵を探索して行くような、困難な戦争を強いられる。過酷な状況に置かれた兵士たちは帰国後、多くがＰＴＳＤ(外傷後ストレス障害)に苦しむことになる。主人公も退役後、そうした兵士を救う活動をしていていたが、ある時、ＰＴＳＤに苦しむ一人の帰還兵に射殺されてしまう。イーストウッド監督は、英雄的な戦闘シーンに対比させるように、帰国後の主人公の悲劇を描いているが、これが現代の戦争の実態なのだと言いたかったのかもしれない。

▼人命尊重に徹して来た日本の自衛隊

翻って、日本の自衛隊である。今、国会で審議中の安保法案が通ると、自衛隊も海外の紛争地で駆けつけ警護などの戦闘行動をすることになる。あるいは、集団的自衛権を行使する時には、日本の領土外で敵と戦争しなければならない。創設後61年、平和憲法のもとで一度も敵を殺したことのない自衛隊は、その時果たして人を殺せる軍隊になれるのだろうか。アメリカの兵士のように、あるいは戦前の日本軍のように、命のやり取りに疑いを持たない殺人マシーンに変身できるのだろうか。

日本の自衛隊が創設されたのは、1954年7月。東西冷戦の中で「我が国の平和と独立を守り、国の安全を保つため、直接侵略及び間接侵略に対し我が国を防衛することを主たる任務とし、必要に応じ、公共の維持に当たる」とされ、人命救助などの災害派遣や国連PKOへの派遣などの国際平和協力活動を副次的任務とする。当初は、「陸海空軍その他の戦力はこれを保持しない」と規定した憲法9条の下で、日陰者的な扱いがないでもなかったが、近年は災害救助などではなくてはならない存在になって来た。

特に、東日本大震災の時には献身的に人命救助に力を尽くすなど、その活動が多くの感動を呼んだ。そこに感じられるのは、人命を救う思想の徹底ぶりである。自衛隊の主任務は国の防衛ではあるが、一方で、災害救助活動を通じて一人一人の隊員が人間の命の重さを受け止める組織として、60年の歴史を積み重ねて来た。この人命尊重の精神は海外における災害救助やPKO活動でも同様に発揮されて来たと思う。自衛隊は海外でも一人も殺してはいない。

▼組織としての自衛隊。防衛族の思惑

これが、安保法制によって180度の転換を迫られるわけで、この価値観の転換を隊員たちが素直に受け

入れるのは相当に困難なのではないか。それが、60年の歴史の重みというものだろう。しかし、一人一人の隊員においてはそうであっても、自衛隊と言う組織で見ればどうなのか。案外そうとも言えないと言うのが、私の率直な観測だ。何しろ組織の中枢にいて人を動かす人間は、政治家であれ、自衛隊の幹部であれ、現場の苦しみや痛みを十分には考えないからだ。防衛省幹部たちは、安保法制がまだ決まらないうちから、政治家の意図を先取りするように、せっせと省益の拡大を狙っている。この事実は、国会でも問題になった。

防衛省はまた、来年度予算の概算要求で過去最大の5兆911億円の予算を積み上げた。離島奪還やゲリラ戦に使う機動戦闘車などである。日本の防衛費は、一応GDPの1％がおよその制約になっており、安倍政権は安保法制と防衛費の増額との関連を否定するが、彼らは、チャンス到来と考えているに違いない。防衛省幹部のみならず、日本の防衛産業もそれと近い防衛族(政治家)も、この状況と武器輸出を可能にした「防衛装備移転法」には多大な関心を持っている。そこに巨額のカネが動くからである。

カネの匂いに敏感な組織論理からすれば、敵国を定めて脅威を煽り、その戦争に国民を兵士として動員することの理屈は後からついて来る。それが、(アメリカの軍産複合体が始めた)湾岸戦争やイラク戦争のような戦争の一つの現実でもある。一方、戦前の日本軍で言えば、国の安全と国民の生命を守るという大義名分を掲げて、軍部は情報の統制、金融・資源データの秘匿、国民の監視などを行った。国家の安全に名を借りて、国家を存亡の危機に陥れる事態にまでなったのである。

このように言うのは、「それでも、日本人は『戦争』を選んだ」の著者、加藤陽子(東大教授)である(8／16毎日)。そこに見えるのは、政治家や軍部が自分たちの国家観を絶対視し、それに国民を奉仕させる構図である。一銭五厘の召集令状(赤紙)で、何十万という兵士を集めて南方に送る。そしてその大半を餓死させても、なお送り込む。東京大空襲、広島、長崎で10万人単位の国民が死んでもなお、国体護持のために戦争の継続を主張する。軍部にとって国民の命は、紙屑のようなものだった。

▼憲法9条の国内的な存在意義

安保法制によって戦争(戦闘)行為が発動された時には、日本の自衛隊は実質的に(戦争行為で殺し殺される集団としての)日本軍になる。自民党の憲法改正草案によれば「国防軍」となるが、これも同じである。そうなった時に、果たして60年間、一人も殺さずに人命尊重を第一にやって来た自衛隊員たちが、どのような苦しみを味わうのか。国防軍への脱皮を目指す国の最高責任者(安倍首相)も防衛大臣も、一人一人の隊員がそうした過酷な状況に置かれる重さをどこまで理解しているか。これは日本という国にとっても、非常に大きな試練である。

加藤陽子氏は、同じ「憲法9条の意義　見つめ直す」という記事の中で、憲法9条条の国内的な存在意義を忘れるべきではない、と言っている。それは「9条の存在によって、戦後日本の国家と社会は、戦前のような軍部という組織を抱え込まずに来ました」、(国の安全と国民の生命を守ると言う大義名分のもとに、実際は人命を軽視する)「このような組織の出現を許さない、との痛切な反省の上に、現在の9条があるのだと思います」と述べている。

今日(9/10)の関東地方の大水害でも自衛隊は、濁流の中に取り残された人々を何人も救助した。設立後60年、そのような組織の一員として、自衛隊員は自分たちのアイデンティティを築いてきたに違いない。その中に、「アメリカと日本政府が決めた敵」を殺す任務は、どのように組み込まれるのか。アメリカ軍と行動を共にする日本の兵士は、あの「アメリカンスナイパー」のような殺人マシーンに変身できるのか。敵も味方も判別できない市街戦で、罪なき住民まで殺すことになる過酷な戦闘ができるのか。

日本の自衛隊が60年にわたって国民とともに積み重ねて来た、こうした歴史の重さを直視しないと、日本の安全保障の大転換は自衛隊員に深刻なアイデンティティ・クライシスをもたらし、多くの自衛隊員のPTSDを生むことになるだろう。そうした非生産的な混乱を避けるためにも、何度もいうようだが、戦後日本の骨格を作って来た「不戦の誓い」を貫く中で、平和構築の可能性を粘り強く追求することこそが、日本の国柄(アイデンティティ)であり、進むべき道だと思う。

（2015年9月10日）

満蒙開拓・国策の果てに

福井県の若狭湾は原発銀座とも言うべきところで、関西電力が所有する11基の原発がある。その中の高浜原発3号機、4号機の再稼働について、高浜町長(野瀬豊)が「国の責任が確認出来た」として同意したという(12／3)。鹿児島県(川内原発)にしろ、福井県にしろ、自治体首長は口を揃えて「国の責任」を再稼働の同意理由に挙げているが、これらの首長たちは、国の政策(国策)を受け入れる時に、〝国のお墨付き〟さえ貰えば地元民を悲劇に巻き込まずに済むとでも思っているのだろうか。今回は、この国策というものが、時として如何に多くの庶民を悲劇に巻き込むものか、かつての満蒙開拓を例に書いてみたい。

▼ある満蒙開拓団女性の帰国

今から41年前、昭和49年(1974年)の年明け。私は敗戦の混乱期に中国東北地方に取り残された満蒙開拓団員の帰国を追う番組を制作したことがある。その女性は終戦の前年に19歳で結婚し、夫と満州(現中国東北部)に開拓民として渡ったが、現地で召集された夫は戦死。逃げ遅れた彼女は生きるために中国人と再婚して子どもも設けたが、望郷の思いやみがたく、1972年の日中国交回復を機に故郷に手紙を出し、中国人の夫に離婚して貰って子どもを連れて故郷に帰って来た。その時49歳、既に敗戦から30年近く経っていた。

福井駅に降り立つ所からその女性を撮影し始めた。車で雪深い福井県大野市の山間部に到着。そこから、車も入らない村道を歩いて実家に向う。道の両側には大勢の村人が彼女を出迎えていた。皆口々に「お帰りなさい」と言っている。その中の一人が「苦労したんだねぇ、あんなに髪が白くなって」と言うのが聞こえた。49歳の彼女は小柄で痩せていて、髪はもう真っ白になっていた。私は彼女の後をついて歩きながら、思わず涙があふれて困ったのを覚えている。

実家の農家に着いた彼女は、囲炉裏の前に座って父親に「ただいま帰りました」と万感の思いを込めて挨拶する。「よう、帰ってきたな」と父親が答えた。30年振りの再会だったが、彼女と一緒に満州に渡った姉は、敗戦の1年後に中国で死亡していた。落ち着いてから、彼女にインタビューしたが、中国での生活は過酷なものだった。開拓と言っても中国人を追い出すようにして確保した農地で、冬は零下40度にもなった。残留した後も1年のうち3ヶ月は食糧がなく、草や木の葉も食べるような生活だったという。

▼数々の悲劇を生んだ国策としての満蒙開拓

彼女の帰国は、中国残留日本人の受け入れがようやく始まった頃の話である。それを期に、満蒙開拓の歴史、敗戦時の混乱と悲劇など関係者の証言を集めて、30分の番組「満蒙開拓団・30年の軌跡」として放送した。当時の取材ノートを引っ張り出してみたが、福井県から満州に渡った人たちへの聞き書きが残っている。貧しい農家の次、三男が多かった。福井県では満蒙開拓に3千人、満蒙開拓青少年義勇軍で2千人の計5千人が満州に渡っている。

満蒙開拓は紛れもない国策だった。昭和恐慌で疲弊する国内農村を救済すると同時に、満州国を維持してソ連に備えるという関東軍の発案で始まったが、１９３６年(昭和11年)には「七大国策事業」の一つに位置づけられ、「二十カ年百万戸送出計画」のもと、毎年3万5千人が海を渡った。戦争末期までに送り込まれた開拓団員は27万人、16歳〜19歳からなる「満蒙開拓青少年義勇軍」と合わせると、その数は32万人に上った。

戦局の悪化に伴って現地で召集される兵士も多く、終戦間際にソ連との国境近くの開拓地にいたのは22万人。殆どが老人や女性、子どもたちだった。ソ連軍が攻め込んで来た時、開拓団を守るべき関東軍はいち早く逃げ、置き去りにされた人々に悲劇が襲った。男性は国境を越えて侵入したソ連軍の捕虜となりシベリアに送られ、女性や子供たちも、自決したり、命からがら引き揚げる途中で襲撃されたり、飢えと病気で倒れたりして8万人が死亡した。

無事に帰国できたのは半数の11万人であり、逃げ遅れた1万1千人の女性と9千3百人の子供が残留日本人として中国に取り残された。日本の満州侵略によって、満州では(東京大空襲や広島、長崎の原爆を凌ぐ)20万人の日本人が死亡した。その4割を開拓団の死者が占める。まさに国策が生んだ悲劇だった。

▼映画「山本慈照　望郷の鐘〜満蒙開拓団の落日〜」

満蒙開拓団に送り込まれた人々は全国にわたるが、中でも最多は貧しい農村が多かった長野県である。3万1千人の開拓団を出している。戦後70年の今年、その長野県の満蒙開拓を描いた一本の映画が公開された。「山本慈照　望郷の鐘〜満蒙開拓団の落日〜」(山田火砂子監督)。主人公の山本慈照は、長野県阿智村から開拓団の教師として妻子を連れて満州に渡り、数々の悲劇に見舞われながら、戦後は中国残留孤児の帰国に生涯を捧げた人である。

寺の住職で国民学校の若い教員だった山本が、3か村の村長たちから懇願されて満州に渡ったのは、昭和20年5月。3カ月後には日本の敗戦が待っていた。8月9日にソ連軍が侵攻。自身はソ連軍に捕まって、シベリア抑留の身となった。シベリアの酷寒を生き延び、2年後に帰国して知らされたのは、共に満州に渡った妻と2人の娘の死だった。映画は、置き去りにされた阿智郷開拓団の悲劇を克明に再現する。

川を渡る途中で流される子ども、飢えて力尽きる人々。やむなく中国人に預けられる子どもたち。山本は帰国後に、一緒に渡った阿智村の開拓民30人のうち帰国できたのは2割に満たなかったと聞かされるが、やがて、そのうちの何人かは中国に残されていることを知る。残留日本人の帰国運動に奔走して、ついに昭和57年にはただ一人、生き残っていた長女と37年振りの再会を果たす。自責の念に駆られた執念の結果だった。

▼なぜ満州に？ 無責任体制の中で進む国策

娘と再会した後も、死ぬまで満蒙開拓団の人々の帰国運動に身を捧げた山本は、「中国残留孤児の父」と称された。映画は国会議員も厚生省も動かない中で、孤軍奮闘する山本を描いて感動的だが、見ていて一つの疑問に捉われた。それは、なぜ山本たちは、終戦も間際になって家族連れで開拓地に向かったのか、ということである。自分ならどうしただろうか。どうしてもということであれば、単身赴任と言う選択もあったのではないか。もっと熟慮していれば妻子を死なせるようなことは避けられたかもしれないのに、という素朴な疑問だった。

しかし調べてみると、国（農林省と拓務省）は戦局悪化の中でも「二十カ年百万戸送出計画」を少しも変更せず、担当の役人たちは計画達成に邁進していたことが分かった。国はノルマを府県に割り当て、府県は郡・町村に割り当てを下ろし、町村は各組織を動員してノルマを達成しようとする。最後には、同和地区や都市部の失業者も根こそぎ動員して員数合わせをする状況だったという。日本が敗色濃厚であるという情報も知らされないまま、「王道楽土」とか「五族協和」と言ったスローガンに乗せられて、多くの開拓民が妻子を連れて満州に渡ったのである。

国と軍部は末期的な戦況を国民に隠して虚偽の情報を流す。各部署の役人たちは狭い視野の中で、目の前の割り当て義務を果たそうとする。送り込む何十万と言う国民一人一人、家族の一人一人に、この先どんな危険が待ち受けているか、などということは誰も考えない。この無責任の構図こそが、国策と言われるものの正体であり、犠牲になるのはいつの時代も庶民なのである。

今、国も電力会社も地方自治体も、一たび原発事故が起きれば、誰も責任など取れないことを知っている。事故が起きた時に、「国が責任をとると言ったから」などと、幾ら言っても慰めにもならない。にも拘らず、空虚な気休めに従いながら、あなた任せの無責任体制の中で原発再稼働を進める。映画「望郷の鐘～満蒙開拓団の落日～」の冒頭は、「国策を見破ることは、容易ではない」という字幕から始まるが、国策の持つ、こうした無責任の構図は、今も時代を越えて続いているということに、少なくとも地元民に責任を持つ地方自治体首長は気付くべきではないか。

（２０１５年12月20日）

「核なき世界」を巡る攻防

１９４５年8月6日午前8時15分、当時８歳の森重昭少年は通学途中に広島の橋の上で原爆にあった。その時の強烈な閃光と爆風は頭上から襲ってきたという。森少年は爆風によって木の葉のように吹き飛ばされ、下の水草の生い茂る川に落ちたために奇跡的に助かった。一緒にいた２人の友人は死亡した。しばらく、自分の手先も見えないほどの真っ暗なキノコ雲の中にいたが、あたりが見えるようになって橋の上に這い上がると、一人の若い女性がよろめきながら近づいてきた。全身血まみれ、胸が裂けて両手で自分の飛び出した内臓を抱え、「病院はどこですか」と声を振り絞るように聞いてきたと言う。

その森重昭さんが、5月27日の広島でのオバマ大統領の演説の後に抱擁され涙を流した人である。成長してからサラリーマン生活の合間に広島の原爆で死んだ米兵捕虜を同じ惨劇にあった人間として丹念に調べ上げ、消息不明だった12人を特定し、アメリカの遺族にも知らせて追悼した。アメリカ政府はそのことを知って森氏を式典に特別招待し、大統領に抱擁させたのである。10月5日、先輩の行天良雄さんが企画プロデュースしたシンポジウム（国民の健康会議）で、森氏と先輩の対談を聴きながらいたく感動した私は、彼の著作（「原爆で死んだ米兵秘史」）を読み、広島での大統領の17分におよぶ演説の全文を改めて読んでみた。

確かに大統領は演説の中で森氏の名前こそ出さなかったが、「広島で殺された米国人の家族を捜し出した男性がいました。なぜなら彼が、家族の喪失感は彼自身のものと同じだと確信していたからです」と言っている。同じフレーズの中で、彼は「私たちは過去の失敗を繰り返すよう遺伝子で決められているわけではありません」と言い、世界は広島と長崎の経験を原点として、「核兵器のない世界を目指す勇気を持たなければいけません」と訴えた。「私が生きているうちに、この目標を達成できないかも知れませんが、たゆまない努力で破滅の可能性をすくなくすることはできます」。これは来年1月には退陣するアメリカ大統領として、「核廃絶」に向けての最後のメッセージになるだろう。

▼核の脅威と地球温暖化は二つの大きな地球的課題

核廃絶の気運が盛り上がったのは２００９年、チェコのプラハ演説でオバマ大統領が核軍縮、不拡散およびセキュリティーに関する一連のイニシアティブ（構想）を宣言し、ロシアのメドベージェフ大統領もこれに応じる姿勢を見せた頃だ。これによってオバマはノーベル平和賞を受賞したが、この7年、大きな進展は見ないで来た。しかし、具体的な成果は見ないまでも世界は核廃絶に向けての様々な動きを続けており、特に最近は国連を中心として核保有国と核を持たない国の攻防が激しさを増している。

核の脅威と地球温暖化は、私たちの時代の二つの大きな地球的課題である。地球温暖化については、遅ればせながら「パリ協定」で世界が一歩を踏み出そうとしているが、核廃絶への道筋はそれこそ迷路のように複雑に入り組んでいる。現在、国連を中心として核拡散防止、核実験禁止、先制核不使用、核兵器禁止など様々な動きがあるが、どれ一つとっても困難な道だ。諦めが先に立って半ば思考停止状態だったが、最近は北朝鮮やテロリスト国家ＩＳＩＬの動き、あるいはロシアのプーチン大統領の発言（＊1）、シリアを巡る米ロの緊張によって、核の脅威は一段と高まっている。最近の核廃絶を巡る動きを項目ごとに概観・整理しておきたい。

①　核拡散防止条約（ＮＰＴ）を巡る動き

現在、世界にはそれぞれ6000発以上の核弾頭を保有するロシアとアメリカをはじめとして、フランス、中国、英国、パキスタン、インド、イスラエル、そして北朝鮮の9ヶ国で合計1万4千発近くの核弾頭が存在する（ストックホルム国際平和研究所、2019年）。そのごく一部でも飛び交えば、世界は破滅に瀕する。

そこで、これ以上核保有国を増やさないと同時に、条約締結国に核弾頭の数を減らす核軍縮交渉を義務づけたのが1970年発効の核拡散防止条約（ＮＴＰ）だ。核保有国を米ロ英仏中の5ヶ国から増やさないことを目指した条約だが、その後、インド、パキスタン、イスラエルなどが新たな保有国となり、しかも未加盟。一時加盟していた北朝鮮も脱退した。肝心の米ロの核軍縮も殆ど進んでいない。日本政府は北朝鮮を念頭に、このNPT体制の強化を訴えている。

② 包括的核実験禁止条約(CTBT)を巡る動き

CTBTは、宇宙空間や水中、地下を含むあらゆる空間で、すべての種類の核兵器の実験を禁止する条約。1996年に国連で採択されたが、現在までに164ヶ国が批准しているものの、発効要件国(核保有国や原子炉を持つ国)44ヶ国のうち、8ヶ国(アメリカ、中国、イスラエル、北朝鮮、インド、パキスタンなど)が批准していないために、未だに発効していない。そんな中、北朝鮮は核実験を繰り返している。採択から20年の今年9月24日には、これの早期署名・批准と核実験の自粛を求める決議案が国連で採択された。「たとえ小さくても、核兵器のない世界への着実な一歩と考えたい」と評価する意見もある(毎日社説9／25)。

③ 「核の先制不使用」宣言を巡る動き

川口順子元外相とエバンス元豪外相を共同議長とする「核不拡散・核軍縮に関する国際委員会」は、かねて「すべての核保有国が核の先制不使用を宣言すべき」と提言して来た。核を先に使わないということは、偶発的な核戦争のリスクを減らす意味でも、核軍縮の環境整備にとっても重要な一歩とされる。これに呼応して核の先制不使用宣言を検討しようとしたオバマ大統領に対して、安倍首相が「北朝鮮への抑止力が弱体化する」と反対したというニュースが流れた。安倍は否定したが、先制不使用反対は、政府の基本姿勢となっている。これについては、いわゆる「核の傘」問題も含めて双方に賛成反対の論理があり、この溝を埋めるにはもっと詰めた議論が必要になる。

④ 持たざる国々が提案する「核兵器禁止条約」を巡る攻防

核廃絶が思うように進まないことに世界が危機感を募らせる中、国連では核を持たざる国を中心に、核兵器を非人道的兵器と規定して禁止する「核兵器禁止条約」を一気に作ってしまおうとする動きが始まっている。これは、核の傘に入っていないアフリカ(54ヶ国)、東南アジア(10ヶ国)、中南米(33ヶ国)など100ヶ国が支持しているが、中心になっているのがメキシコ、オーストリアといった〝普通の国〟なのが興味深い。8月19日、核保有国が時期尚早として反対し、日本は棄権するなか、国連の作業部会は多数で2017年には国連総会で条約を協議するよう勧告する報告書を採択した。

10月からは総会で、その前段階の議論が始まるが、核保有国やその「核の傘」に入る国々と、核を持たざる国々との攻防に世界が注目している。条約推進派はこれによって「核保有国がいなければ何もできない」という状況を変える好機と捉えているという。2017年に向けてこの攻防がどのような展開を見せるか不透明だが(＊2)、条約によって国際世論が、核兵器の非人道性を改めて認識し、その禁止こそが人類生き残りの道と確認することは、核廃絶への大きな一歩になるに違いない。

▼「核なき世界」への3つのリーダーシップ。日本は？

こうした様々な困難を乗り越え、「核なき世界」は作れるだろうか。先に挙げた「核不拡散・核軍縮に関する国際委員会」は、「核の脅威を絶つために」という提言(2009年)の中で、核廃絶に向けてはリーダーシップがなければ、惰性が常に支配してしまう、と書き、リーダーシップのあり方について次の3者を上げている。①(主要核兵器国、特に米ロによる)トップダウン、②(考えを共有する世界中の国々による)ピア・グループ、③(市民社会による)ボトムアップである。

現在、核兵器禁止に向けて動いているのは②のピア・グループだが、核大国による①が足踏みしている現在、国際世論を形成する②や③の高まりに期待したい。同時に、唯一の被爆国である日本も、北朝鮮の核を視野に入れつつ、「核の傘」の神話を乗り越える緻密な論理を構築し(それは可能と思う)、「核なき世界」に向けて、もっと積極的にリーダーシップを発揮して欲しいと思う。

(2016年10月14日)

(＊1) 2014年のクリミア紛争時も、2022年のウクライナ侵攻時もプーチンは核兵器の使用をちらつかせている

(＊2) 核兵器禁止条約は、その後50ヶ国の批准を経て2021年1月に発効した。ただし、被爆国である日本はアメリカの核の傘にこだわって不参加

「核の傘」の欺瞞と危険性

11月23日に来日したフランシスコ教皇は、長崎・広島の被爆地を訪れ、核廃絶に向けて強いメッセージを残して行った。「戦争のために原子力(原爆)を使用することは、犯罪以外の何物でもない」。「核戦争の脅威で威嚇することに頼りながら、どうして平和を提案できるか」と、核抑止力やその延長である「核の傘」に頼る偽善について述べた。25日夕に官邸で行われた講演でも、被爆地の惨状に触れながら、「破壊が二度と繰り返されないよう、阻止するために必要なあらゆる仲介を推し進めて下さい」と日本政府に呼びかけた。

▼「核の傘」から一歩も出ようとしない日本

これに対し、安倍首相は「日本は唯一の戦争被爆国として、核兵器国と非核兵器国の橋渡しに努め、『核兵器のない世界』の実現に向け粘り強く尽力していく」と答えたが、アメリカの核を容認し、その「核の傘」

に頼る立場から、国連で採択された核兵器禁止条約も認めない状況では、その言葉も空々しく響く。菅官房長官も会見で「日米安保体制のもと、核抑止力を含めた米国の抑止力の維持・強化は、我が国の防衛にとって適切だ」と、従来の日本の立場から一歩も出ないことを強調した。

言われているように今、極東で中国を包囲する核ミサイル網の構築を目論むアメリカに対して、中国はロシアと連携して核軍備を強化しようとしている。そしてその中国も、またアメリカと対峙する北朝鮮も、核ミサイルを日本の在日米軍基地に向けている。このような現状を踏まえた時、アメリカの核抑止力に頼る日本の「核の傘」政策は、一見、日本にとって有効な防衛政策のように見えるが、本当にそうだろうか。「核抑止」とそれに基づく「核の傘」の現実について書いてみたい。

▼「核の恐怖が支配する時代」の核開発競争

その前に、世界の核の状況を簡単に抑えておきたい。最初に、アメリカが広島・長崎に投下した原爆はその脅威と恐怖を世界に見せつけ、それによって戦後世界を飽くなき核兵器開発競争へと引きずり込んだ。その原爆から、一個で広島型原爆の数千倍もの威力がある水爆へ。核の運搬手段も爆撃機から中距離弾道ミサイル、大陸間弾道ミサイルや潜水艦弾道ミサイル(ＳＬＢＭ)へ。ミサイルに積む核弾頭も一つから複数(多弾頭)へ。そして対抗手段としてのミサイル迎撃システムの開発へと脅威の拡大が続いて来た。

さらに最近のアメリカでは、広島型の数分の一という〝使い勝手のいい〟小型戦術核の開発まで行われている。まさに際限のない開発競争である。２０１９年時点で地球上に存在する各種核爆弾は、米ロ間の戦略兵器削減条約によって減って来たとは言え、アメリカとロシアで約1万２７００発。そして、フランス・中国・イギリス・インド・パキスタン・イスラエル・北朝鮮の7か国で１０００発以上もある。これは一概には比べられないが、破壊力で広島型原爆の数十万発にも匹敵する。この「核の恐怖が支配する時代」の現実の中で、「核抑止」の考え方もまた次々と変遷を辿ってきた。

▼「核抑止」の不確実さと狂気

一般に「核抑止」の基本的な考えとは、仮に先制攻撃をされても生き残った戦力で徹底的に相手を殲滅するという脅しで、これを互いに確認し合うことが「確証破壊」と呼ばれる「核抑止」の考えである。核の能力向上や地中、海中への分散配置によって、第一撃で敵中枢の息の根を完全に止めることはもはや不可能になった現在、「確証破壊」で共に死ぬしかない状況を作って、相手の先制攻撃を思い止まらせること。それが現在の核抑止の考え方である。しかし、これも一皮むけば、極めて曖昧で不確実な仮説の上に作られたものなのである。

「確証破壊」には相手が同様の価値観を有している必要があって、例えばテロリストや自分の破滅が世界の破滅より優先すると考えるような〝狂気の独裁者〟の核にこれが通用するかどうかは疑問である。また、中間的な考えとして、戦術核のような限定的な核攻撃に対して、それに見合った限定的な核で反撃する「柔軟反応」も考えられたが、これも結局は、全面核戦争へのエスカレートが避けられないという結論になっている。現在のNATOなどは「最後の手段」として核使用を位置づけているが、「最後の手段」がどういうことか曖昧なままで、その具体的定義は誰も知らない。

これだけ核の破壊能力が巨大化した現在、核の使用によって失うものに比べたら、それを超える防衛目的などはどこにも存在しないことは明瞭である。従って、冷静に考えれば核は既に国家間では使えない兵器になっているにもかかわらず、核大国は冷戦が終わっても大量の核を手放そうとしない。恐ろしいことに万一にも相手が核攻撃を仕掛けてくることに怯えて、ミサイル発射をキャッチしたら即何百という核を発射する「警報即発射」の体勢を互いに維持している。偶発事故や先制使用の誘惑、テロリストの手に核がわたる可能性を消せない、まさに「核の恐怖が支配する狂気の時代」が続いている。

▼「核の傘」の欺瞞と危険性

その狂気の「抑止力」を、核を持たない同盟国にまで広げようとするのが「核の傘」(「拡大抑止」)である。これには3つの問題が指摘されている。一つは核保有を前提とする「核の傘」に入ることによって、核廃絶について発言出来なくなる、仮に発言しても信用されない。これが今の日本の状況である。もう一つは、かつてアメリカのキッシンジャー元国務長官が「超大国は同盟国に対する核の傘を保障するために、自殺行為をするわけがない」と言ったように、「核の傘」が幻想に過ぎないことである。

仮に日本が核攻撃された場合に、同盟国のアメリカが全面核戦争に発展するような核報復を相手国にするかどうか極めて怪しいのであれば、「核の傘」は相手にとって抑止力にはならない。さらに3つ目は、「核の傘」が敵の核攻撃を吸いよせる「避雷針」の役割を果たしかねないという指摘である。これは、今の北朝鮮がミサイルの届かないアメリカではなく、日本の米軍基地に核ミサイルを向けていることでも分かる。政府の言う「核の傘」は安心どころか、却って危険な代物(破れ傘)なのである。

▼核の廃絶に向けて知ること

では、どうすれば世界は「核抑止」や「核の傘」から脱して、核廃絶に向かうことが出来るのか。前のコラム「〝核なき世界〟を巡る攻防」(2016年10月14日)では、核廃絶に向けての世界の様々な動きを紹介したが、世界の核抑止論を検証した本「検証・核抑止論」では、「核抑止によって、世界の平和、安定、均衡を維持するという考えは、おそらく現存する中で最も危険な集団的過ちである(1980年国連報告)」としつつ、「国際的安全保障は相互破壊の威嚇に基づくのではなく、ともに生き残るという誓約に基づくものでなければならない」と提言する。

世界は共に生き残る道を探って核を削減しつつ緊張緩和に向えるか。同書は、南半球の国々は既に広範な非核兵器地帯を形成しており、その範囲をさらに広げる提言をしている。もちろん、(既に十分大きくなった)通常兵器での抑止力の保持は認めつつ、これまで禁止された生物科学兵器同様に核兵器を悪として禁じるべきだとも言う。日本政府も世界が滅亡の瀬戸際に立たされていることを知ってまともな判断に移れるか、唯一の被爆国として核廃絶へのリーダーシップを取れるか、それが問われている。(2019年12月14日)

ロシアが抱える底知れぬ闇

2月24日にロシアがウクライナに侵攻してから2か月が経過した。この間、ウクライナ、ロシア双方に出た犠牲者は何万人になるのだろうか。国外に脱出したウクライナの避難民は500万人とも言われる。同時に、南部マリウポリに見られるような各都市の徹底的な破壊は、ゼレンスキー大統領が復興に70兆円を要すると言うほどだ。この先の戦争がどう展開するのかは分からないが、さらに来年末まで続くという見方もある。ロシア国内のプーチン支持層の強硬派には、首都キーウまで制圧すべしとの声も根強いという。

このまま戦争が続くとなると、世界はさらに残酷な死と破壊を見せられることになり、ロシアへの強硬意見がヒートアップして武器支援がエスカレートし、一方で追い詰められるプーチンがウクライナの占領地域をロシア領に組み込み、そこへの攻撃を自国への攻撃と称して、核の使用に踏み切るリスクも高まっていく。一旦核の使用に踏み切ったら、その後の展開は誰にも止められない。どこかでこの愚かな戦争の終結を探る動きが出て欲しいと思うのだが、国連事務総長などが間に入ろうにも、互いに一歩も引かない状況なので先行きが見えない。

▼ロシアによる様々な国際法違反と戦争犯罪

こうした戦況とは別に、少し引いて見ると、プーチンが始めたこの戦争は、戦後しばらく忘れていた核兵器の恐ろしさを世界に突きつけるとともに、第二次世界大戦の反省から人類が様々に取り組んできた国際的な平和維持の枠組みが如何に不備で無力なものだったかを示す結果ともなっている。今回、ロシアが犯した戦争の禁じ手の数々を整理してみると、まずは、ロシアによる一方的なウクライナ侵攻が明かな侵略行為(武力による国境変更)で国連憲章違反にあたることである。プーチンが言うような自衛のための戦争などとはとても言えない。

さらには、ロシアによる病院を含む民間施設への無差別攻撃と住民の虐殺や略奪は、ジュネーヴ条約(国際人道法)違反になる。ウクライナ東南部では組織的な性的暴行や拷問も報告されている。ロシアはこれらのおぞましい犯罪を否定しているが、首都キーウ近郊のブチャで発覚した住民の虐殺については、既に国際刑事裁判所(ＩＣＣ)が戦争犯罪の捜査を始めている。さらには、ロシアによる南部ザポリージャ原発への度重なる攻撃もジュネーヴ条約で禁止されている。もちろん、大量の民間人を巻き込む核兵器の使用も「国際人道法違反」である。

▼国際的な規定が強制力を持てない現実

問題は、これらの国際法の不備ないしは強制力の欠如である。長有紀枝《おさ》(立教大教授、毎日4／15)によれば、国連憲章は武力行使について「慎まなければならない」と表現するだけ。核兵器の使用についても国際司法裁判所(ＩＣＪ)は、「禁止」ではなく、絶対的に違法との見解を出していない。それをいいことに、プーチンは国家の存立が危ぶまれる状況にはこれを使うと脅している。国連では常任理事国のロシアが拒否権を行使すれば、ロシア非難の議案が通らないという国連の仕組みそのものも、欠陥を露呈している。

また、戦後の世界は破滅的な核戦争のリスクを下げるために、(核不拡散などの)国際的な枠組みを作ってきたが、核の脅しが有効となれば核保有に走る国が増え、核抑止の考え方そのものが揺らいで機能不全に陥いる問題もある。一方で私たち、特に自由主義陣営は、グローバル化によって、人道主義、人権尊重、民主主義などの普遍的な価値観を世界が共有して来たと思い込んで来たが、それが幻想だったことも露わになった。今回の戦争は、人類の未来に不可欠なそうした価値観が、私たちの足元で空洞化している深刻さをも示している。

▼実は、価値観を共有してこなかった世界

人類共通の価値観の空洞化もさることながら、それを担保する国連を始めとする国際機関や国際条約の再構築には、どの位の時間と努力が必要になるのか。特に、今回の戦争で仮に核兵器が使われたりすれば、世界はかつてない「再生の苦しみ」を味わうことになるだろう。ロシア、中国を始めとして世界で非民主的な強権国家が増え、時計の針が逆戻りしている現在、果たして今一度、自由と民主主義に基づく国際機関や規定が作れるかどうか。人類破滅の核戦争を抑制することが出来るか。ウクライナ戦争後の世界は、再び大き

な試練に直面することになる。

それにしてもプーチンのロシアである。プーチンの時代錯誤的な大ロシア主義への野望、或いはNATOの包囲やナチズムに対する被害妄想についてはこれまでも取り上げられてきたが、一方で、そのプーチンにいわば盲目的ついていくロシア国民の精神構造である。いくら国内のプロパガンダにさらされているとは言え、80％近くの支持率でプーチンを信じる国民感情はどこから生まれるのか。あるいは、21世紀の現在においてなお、おぞましい戦争犯罪に走る兵士達とそれを許す(黙認する)プーチンや軍中枢や意識構造は、どこに由来するのか。

▼ロシアが抱える底知れぬ闇

この2つの疑問に関して「ロシア人の精神の闇」を提起するのが、ロシア文学者の亀山郁夫である(毎日、特集4／15、4／22)。帝政ロシアの時代、多くが農奴だったロシア人は、心に闇を抱えて生きていた。その闇は信じる神を持たない人々の闇であり、ドストエフスキーが言うように、神がいないのであれば「すべてが許される」というアナーキーな精神性につながっていく。その闇に一旦落ち込み始めたら、堕落はとどまることを知らなくなる。逆にそうした自覚があるからこそ、彼らは強い支配者を半ばマゾヒスティックに求めてきたという。

そうした闇を抱えた精神性は、個人の自立を著しく遅らせて来た。そのために他者に対する想像力を欠き、戦場を「すべてが許される世界」と思わせて来たのだと言う。プーチンを強い指導者として崇めてついていく。民衆のその心の闇に直面させないためにも、プーチンはロシア民族の栄光をうたい、どんな手段を使ってでも大ロシアを復活しようとする。その意味では、プーチン自身もロシア人に共通の底知れぬ闇を抱えて生きていると言っていい。考えて見れば、ロシア民族は(一部の目覚めた人々を除いて)長く精神の自立の機会を奪われてきた。

▼戦後世界はロシアの人々の自立を支援できるか

一部の貴族層や地主の抑圧から農奴や労働者を救う筈のロシア革命は、すぐにスターリンの全体主義に移行し、ロシア人は70年間も共産主義の圧政と官僚主義に閉じ込められて来た。ソ連が崩壊した1991年、西側と同じような自由な国になるかと思ったら、たちまちプーチンの独裁が始まってしまった。東欧の旧ソ連国やウクライナが独立し、自由と民主主義の幸福を知ったのと対照的に、ロシアは闇を抱えたままの国で来たわけである。気の毒と言えば気の毒だが、その闇を利用するプーチンがいる限り、ロシアは絶望の国のまと言える。

その意味では、まずはプーチンに退陣して貰うことが肝心だが、仮にプーチンがいなくなっても、ロシアは巨大な闇を抱えた核大国として、戦後世界の大きな問題として残ることになる(ジャック・アタリ「ETV特集」4/2)。これと世界はどう向き合って行くのか。亀山郁夫は、ロシアが変るためには国民一人一人が如何に自立するかにかかっていると言う。今は抑え込まれているが、戦争反対に声を上げる若者やジャーナリストたちが、新しいロシアを作ってくれること。それを国際社会が支援していくことが、極めて重要になる。

考えて見れば、アジア各地で残虐な殺戮を犯していた80年近く前の日本も同じような状況だった。その日本がアメリカ占領を機に、悪夢から覚めたように戦後民主主義を根付かせて来た。その幸福を思うと同時に、21世紀の今になっても分断された世界には自由と民主主義の共通の価値観がないという現実。それとどう折り合いながら、価値観の違いを超えて共存を図り、平和を構築していくことができるか。日本も世界も難しい試練の中にいる。
（2022年4月24日）

数字の背後にある死の無残

77年目を向かえた敗戦記念日の前後に、NHKは今年も、「2022年夏　いま、戦争と平和を考える」と題して、多くの戦争関連番組を放送した。ウクライナからのニュースで戦争が身近なものとなり、人々の命と暮らしが脅かされる状況で、先の戦争の悲惨さを丹念に拾い上げる作業が今も続いている。独裁者スターリン（或いはナチのアイヒマンという説も）は、「一人の死は悲劇だが、100万の死はもはや統計である」と言ったというが、戦争における膨大な戦死者の数の背後にどんな無残や無念があるのか。こうした番組での地道な発掘作業を続けなければ、それは単なる統計に過ぎなくなる。

これまで何度も書いてきたが、日本が始めたアジア・太平洋戦争では、日中戦争も含めて軍人・軍属230万人、外地の一般邦人30万人、空襲や原爆などによる国内の戦没者50万人の合計310万人の日本人が犠牲になった。吉田裕（一橋大特任教授）の「日本軍兵士〜アジア・太平洋戦争の現実」は、こうした膨大な数字の裏にある、戦争の無残な実態を、各種研究を読み込みながら分析したもの（後述）だが、今年のNHKスペシャル「ビルマ　絶望の戦場」（8／15）もまた、数字の背後にある、さらに生々しい現実を新たな資料の発掘と証言で明るみに出していた。

▼NHKスペシャル「ビルマ　絶望の戦場」

太平洋戦争中、最も無謀な作戦と言われたインパール作戦（1944年3月〜7月）は、イギリス軍の反撃に遭って退却する際、飢えとマラリアなどで3万人の戦死者を出した。白骨街道とも呼ばれるその悲惨な状況は、5年前のNHKスペシャル「戦慄の記録　インパール」が取り上げたが、今回はその後に続く終戦まで1年間のビルマ(今のミャンマー)での記録である。インパール作戦を含むビルマでの戦死者は16万7千人に上るが、そのうち8割はこの最後の1年間のものだった。絶望的な戦況の中で、なお戦いの継続に固執する軍中枢が生んだ悲劇である。

イギリス軍は日本軍を追って首都ラングーン(今のヤンゴン)に迫ってくる。兵士達は武器も食料も足りない中で、雨期のぬかるみに足をとられていく。それでも降伏することを知らない10万を超える日本軍は絶望的な抵抗を続け、次々と倒れていった。ところが1945年4月、驚くべき事にラングーンにあったビルマ方面軍の司令部は、日本兵と現地邦人を置き去りにしたままタイに撤退してしまったのである。ラングーン陥落後、取り残された人々はついに最後の望みとしてタイに撤退するために幅200メートルのシッタン河を筏と小舟で渡ろうとした。

▼戦死者16万7千人の背後にあった現実

その時既に、日本軍は飢えとマラリアで殆ど体力も尽きかけ、絶望から自決する兵士も多かった。川は雨期で増水していた。しかも、その渡河を事前に察知していたイギリス軍に迎え撃たれ、溺死と銃撃で1万9千人が死亡。死体が川を埋めた。戦後のイギリス側の聴取に当時の日本軍司令官は、自分たちがタイに撤退した後でビルマの日本軍は全滅するだろうと予想していた、などと無責任に答えたという。イギリス側の記録には、「日本軍には間違いを犯したことを認めない〝道徳的勇気の欠如〟という根本的な欠陥があった」と記されている。

ビルマ戦における最後の1年の実態は長い間、霧に包まれていた。番組は、かつてこの実態に迫ろうとした作家(故人)が残した(300人に上る)取材記録と兵士たちの録音、それにイギリス側に残る記録を発掘し、悲劇の実態に迫っている。現在、辛うじてビルマから生還した元兵士たちは、90歳半ばから100歳を超えている。番組は、そうした人々の最後の証言も取り上げた。不条理な作戦を強いられた戦場のむごさ、無残さを経験した証言。餓死や自殺、人肉食をも含む、殆ど戦争とも呼べないような、あまりに無残で無念な死の実態である。

▼9割を占める「絶望的抗戦期」の死の実態

戦死者の数字の背後にあるこうした現実は、ビルマだけではない。上記「日本軍兵士～アジア・太平洋戦争の現実」は、日本人の犠牲者310万人の9割はサイパン島陥落(1944年7月)後の1年間に発生したものだとする。敗戦必至となったにも拘わらず、戦争を止めることの出来なかった「絶望的抗戦期」と言われる期間である。その時、兵士たちはどのように死んでいったのか。驚くべき事に、その多くは戦病死と餓死である。戦争全体における統計がない日本で、著者は幾つかの研究例を挙げながら、全体の60～65%が戦病死および餓死ではないかとする。

この絶望的抗戦期に日本は制海権を失い、物資の輸送が不足し食糧もなくなっていった。餓死者は、本当に意味での餓死に加えて、栄養失調による体力の消耗にマラリア感染が重なって死亡する「広義の餓死者」も含めると半数以上という高率になる。その頃召集された兵士は体重も平均50キロに落ちていて、歩兵たちは体重の半分を超える装備を背負って移動しなければならなかった。しかも、その装備は劣悪で軍靴は泥道の中で破れ、裸足で行軍する中で凍傷にかかったりした。歯科医も殆ど配属されず、多くが虫歯に悩みながらの戦争だった。

▼数字の背後にある死の無残を知る

これはもう、戦争と呼べるようなシロモノではない。日本軍は短期決戦の考え方と精神主義で戦争に突入し、補給、情報、衛生、輸送船の防衛などを軽視し、食料も現地調達(略奪)に頼った。その結果が、餓死、戦病死、自殺、他殺(虐待による死)が6割を超える実態。長期の総力戦という近代戦争の変化を無視した日本軍の末路である。しかも、東條英機が発した「生きて虜囚の辱めを承けず」(戦陣訓1941年)によって、日本軍は捕虜となることが出来ず、動けない傷病兵は自死するか、自軍に殺されるかしかなかった。絶望の中で降伏も許されない。

著者がこのような戦争の凄惨な現実を見据える本を書いた一つには、近年の「日本軍はいかなる敵にも怯まず、御国の楯となって堂々と闘った」などという現実とはかけ離れた日本軍礼賛の風潮への違和感があったという。しかし、膨大な数字の背後にある死の無残、或いは死んでいった兵士の無念はそんなものではない。番組でもとり上げた元兵士の今に続く苦悩は、戦争の傷の深さを伝えている。同時に忘れてならないのは、日本が始めた戦争で、2000万人のアジアの人々が犠牲になっていることである。その膨大な数字の背後にも一人一人の無残で無念な死があった筈だ。

▼数字を単なる統計にしないために

著者はこの他に、絶望的抗戦期になっても何故日本は戦争を止められなかったのか。陸海軍中枢の指揮命令系統の欠陥、内閣総理大臣の権限の弱さ、軍規の弛緩と退廃、異質な軍事思想などについても書いている。

ビルマでも、前線の兵隊が絶望的な撤退を続けている間に、首都ヤンゴンの司令官達は夜な夜な日本人経営の料亭で芸者を上げていた（Nスペ）。その司令部は、ビルマの抗日戦線が一斉蜂起した1ヶ月後に、いち早く首都を脱出してタイに逃げてしまう。戦争は人間として大事なものを失わせる。それは、どの戦争でも同じである。

上官の命令で、罪なき現地人を何人もスパイ容疑で殺さなければならなかったという番組中の老証言者は、今も仏像を彫って現地に送り続けている。為政者が始める戦争は、いつの時代にも膨大な数の犠牲を強いる。その殆どは前線に送られる兵士であり、無差別の攻撃を受ける市民である。「戦争だけはしてはいけない」という先の戦争の反省を噛みしめるために、或いは、「万難を排して戦争だけは避ける」という、戦後日本の国是（国ありかた）を再確認するために。地道に戦争の現実を発掘し、それを共有するための戦争関連番組はこれからも続いて行くだろう。

（２０２２年８月30日）

第2章　日本が抱える課題の数々。衰退日本は復活出来るか

コロナ明けのアメリカが、人件費高騰などによるインフレを抑制するために2022年春から政策金利を上げ始めて以来、日本では、急激な円安が進行している。日米の金利差によって円を売り、ドルを買う動きだが、これによって輸入品の価格が高騰し、食料品など幅広い分野で値上げラッシュが起こっている。円を売る動きは金利差だけでなく、日本の国力、経済力の弱さも反映しているというが、円安は、この何十年も実質賃金が上がらない私たち庶民の暮らしを直撃している。アベノミクスに縛られて、アメリカのように金利を上げることもままならない日本は、これからどうなって行くのだろうか。

日本の経済力は戦後の高度成長期を経てGDPが世界第2位となり、アメリカの背中をとらえたころは日の出の勢いだった。本文中の「失われた30年の自画像」にもあるように、バブル崩壊直前の1988年当時の日本は、株式時価総額で世界上位10社中、7社が日本企業、そして上位50社中、32社が日本企業だった。それが、現在は50社に入るのは、32位のトヨタ一社だけになってしまった。この30年あまり、日本はこうした足元の現実を直視することなく、過去の栄光にすがりながら、新たな時代の国の設計図を描けないで来たとも言える。

そうした日本が抱える課題は経済ばかりではない。少子化による人口減少や超高齢化、科学技術の衰退、歴史認識の問題、そして政治の機能不全などいろいろある。第2章では、こうした日本が抱える課題を2つのテーマに分けて並べてみた。一つは、「日本の現在地」を直視するためのものである。これからの日本は、祖先から受け継いだ豊かな社会的共通資本(自然環境、社会的インフラ、教育・医療などの制度資本)を次の世代に損なわずに残していくことができるかどうか。そのためには、まずは今の日本の足元をしっかり見ること。そして目の前の課題を一つ一つ解決しながら、緩やかな着地点を見出すしかない。

それには、政治に頑張ってもらわなければならないわけだが、それが何とも心もとない。そこで二つ目には、その政治の危うさや劣化、後退する民主主義、そして政治を監視するためのメディアの現状について取り上げた。こうした日本が抱える様々な課題を直視しながら、次の時代の日本のあり方(国家ビジョン)を考える際の一助にして頂ければと思う。

1　失われた30年の自画像。日本の現在地を直視する

「プロジェクトX」は再び来るか

２０１３年11月12日の日本記者クラブの会見で、小泉純一郎元首相が脱原発(彼はこれを原発ゼロと言う)について「決断すればできる」と言い、しかもその時期は「即ゼロ」と明快だった。「首相が決断すれば反対論者も黙る」、「原発ゼロの方針を出せば、必ず知恵のある人がいい案を出してくれる」、「(高レベル廃棄物の処分場は)10年以上かけて一つも見つけることが出来ない。政治の力で見つけると言うが、そっちのほうがよっぽど楽観的で無責任」と迫力がある。上げ足をとられるような余計なことは一切言わず、敵の痛いところを突く言い方は相変わらず。言葉の一つ一つが政治的に計算されている。

やはりうまいと思うのは、原発の代わりになる自然エネルギーの開発を、「自然を資源にする事業は、壮大で夢のある事業だ」と、夢として描いたことである。そして、返す刀で「それに力をふるえる。こんな運のいい首相はいない」、「これは結局、総理の判断力、洞察力の問題だと思う」と安倍首相を挑発した。

小泉の原発ゼロ宣言が、どういう勝算のもとに言いだされたのか、詳しいことは分からない。しかし、始まったのは(安倍政権や日本の原子力ムラ、アメリカを核とした)原子力共同体との熾烈な戦いである。相手も必死で、すでに裏では右派雑誌や大衆紙を動員した、えげつない「小泉叩き」が始まっている。裏で何らかのカネが動いているのではと勘ぐりたくなるような手回しの良さである。

この原発ゼロ宣言がこれからどう展開するのか、或いは一場の夢で終わるのか。今、小泉の姿は単身で巨大な原子力ムラに立ち向かうドン・キホーテを思わせるところがある。ただし、失敗すれば脱原発の世論にも大きな影響を及ぼすだろうし、その行方は予断を許さない。従って、小泉の投じた波紋の行方と意味については、もう少し時間をかけてじっくりみていくとして、すこし脇道にそれて別なテーマを書いて見たい。それは、図らずも小泉が掲げた「時代の夢」に関連することである。

▼「プロジェクトX」、誕生の経緯

原発ゼロを達成するために新エネルギーを開発する事業は壮大な夢だと、小泉は言った。人間集団が何かに挑戦する時は、使命感もさることながらチームの力をまとめる「大きな夢」が必要になることを、小泉は良く分かっている。そのことは、チーム全員がこの2年以上も「東北の被災地に優勝という喜びを与えたい」と夢を持ち続けて闘った東北楽天(星野仙一監督)を見ても分かる。日本シリーズ優勝の時、友人がいみじくも「楽天と巨人では背負っているものが違うよ」と言ったが、そういうことである。

夢があり、その夢に向かってチーム全員が力を合わせる――もう14年前になるが、私が企画に関って生まれたNHKの番組「プロジェクトX」も、そうした時代の夢を描いたシリーズだった。番組誕生のきっかけは2000年の番組改訂で、それまで夜の9時台にあったニュース番組が10時台に移り、その空いた夜9時

台に「骨太の番組を並べる」という編成方針が打ち出されたことだった。

当時、番組部門の責任者の一人だった私は、「これは各セクション(部)の議論に任されていた従来のやり方では難しいだろう」と思い、組織横断的な「番組開発プロジェクト」を作って、そこで企画を議論することにした。各部から選りすぐりのプロデューサーを集め、彼らが持ち寄る企画アイデアをもとに、私が座長になって毎週のように議論を重ねて行った。

その中の一つが「プロジェクトX」となった経緯はこうである。議論も大分煮詰まっていたある時、「以前に、こういう企画を考えたのだが」と出された企画がある。それは「グレート・チャレンジ」というタイトルのアポロ13号の冒険を描くドキュメンタリー・シリーズの企画だった。定時番組の提案ではなかったが、私たちはその「グレート・チャレンジ」というタイトルに飛び付いた。こんな挑戦モノが日本を舞台にして出来ないか、それも戦後の挑戦を――戦後の社会的事象をいろいろ集め、会議で議論する日が続いた。

そんなある日、私の頭に一つのアイデアが浮かんだ。「これらは、みんなチームでやっているよな。それに戦後は〝プロジェクトの時代〟と言われているじゃないか」。プロジェクトで成し遂げられた戦後の挑戦、しかも主役は無名のチーム全員。定時番組に耐えるかどうか、戦後の年表を眺めながら、「これは入る、これは入らない」という番組コンセプトを固める検討が行われた。これなら、何年間かは行けるなあということで、1999年の夏に編成に提案。タイトルは最初「ザ・プロジェクト」だった。

▼時代の夢を描いた「プロジェクトX」

その後、編成とのやり取りがあって、タイトルは「プロジェクトX～挑戦者たち～」になった。最初の「グレート・チャレンジ」は、サブタイトルに僅かに残ることになったわけである。番組は私の手を離れて提案部のIプロデューサーたちのもとで見事な番組に仕立てられて行った。２０００年3月28日に一回目の放送が始まって半年が経った頃、制作体制のやりくりに悩んでいたIプロデューサーと食事をしながら「この番組は絶対に社会現象になるよ」と励ました記憶がある。

それから半年もたたないうちに、「プロジェクトX」はNHKの看板番組になり、中島みゆきの主題歌「地上の星」とともに文字通り社会現象になった。番組が描いたのは、戦後の日本が敗戦の傷跡から立ち上がり、高度経済成長に向けてひた走った「時代の夢」だろう。特に2回目の「窓際族が世界企画を作った　VHS執念の逆転劇」(VHSビデオテープレコーダー、日本ビクター)は、私も試写室で泣けて来たが、日本の技術者の夢と挑戦を描く典型となった。

私は番組の当初から、「3年が花。3年でやめられたら満点」と言っていたが、あまりの評判の良さで上層部がやめるのを許さず、結局5年続いて後半にはスタッフはいろいろ苦い思いも味わうことになったらしい。しかし今、5年間の放送記録を眺めると、「プロジェクトX」は確かに、日本全体が明日の可能性に向けて夢を追い続けていた時代の物語だったと思う。見ながら毎回、「日本人も棄てたものじゃない」という感慨を引き起こしてくれる番組だった。

▼再び「時代の夢」を描けるか

「プロジェクトX」が描いた戦後の時代から、多くの年月が流れた。その後の日本は、バブルが崩壊し、失われた20年が来て、今やデフレ現象に喘いでいる。容易に時代の夢を描けない中にいる。去年以来のアベノミクスが、このデフレ退治を行うと言って、異次元の金融緩和を行っているが、その成果は日本のモノづくりの強化に少しは役立っているのだろうか。

株価の上昇と円安で、日本の電機メーカーも一息ついているようだが、かつて時代を画したたような新機軸の製品が日本のモノづくりメーカーから生まれたとは聞かない。リーマンショックなどで企業が委縮し、かつてのような「リスクを恐れないチャレンジ精神」が見られなくなったのが原因だと専門家は言うが、どうなのだろう。

日本は、再び時代の夢を描けるか。新しい「プロジェクトX」は作れるか。私は定年後、ある独立行政法人で「サイエンスニュース」という5分の動画のインターネット放送に関っている。この2年で１５０本ほどの科学ニュースを出したが、この日本でも基礎的な所では人類の未来を切り拓くような様々な先端的研究が行われていることが分かる。

例えば、エネルギー関連だけでも、「ＣＯ2ゼロを目指す石炭ガス化発電」、「浮体型の巨大風力発電」、「地熱利用の岩体発電」、「潮流を利用する海洋発電」、「海底下メタンとＣＯ2の海中貯蔵」などなど。それに国際協力で進んでいる「核融合」研究もある。それから考えると、薬のネット販売などのアベノミクスの成長戦略も小さすぎて夢がない。むしろ、原発ゼロを掲げて国を挙げて新エネルギーの開発に取り組むべきだとする小泉の意見の方が、夢があると言えないだろうか。（２０１３年11月14日）

縮む日本・待ったなしの近未来

現在、日本では年間１１０万人が亡くなっている。これが超高齢化の進行に伴って急増し、２０４０年には年間１７０万人にもなる。この増え方は尋常ではなく、すでに最近では死んでも火葬場が満杯で、遺体を一週間も冷凍保存しなければならない事態さえ起きている。また死ぬまでの一定期間、どこでどのように死を迎えるかも大問題で、病院や中間施設(老人ホームや介護施設)、在宅ケアのそれぞれの現場で悲鳴が上がっている。このままいくと、私たち高齢者は早晩「死に場所が見つからない」という重大問題に直面することになりかねない。

そういう事態を迎えて11月12日、銀座の「ヤマハホール」でシンポジウムがあった。今年87歳の大先輩、行天良雄さんが年に一回、プロデュースと司会を務めて来た「国民の健康会議」(主催、全国公私病院連盟)のシンポジウムだ。25回目になる今年は「超高齢・多死時代の病院」がテーマ。病院が手一杯で悲鳴を上げる一方で、介護施設でも介護士が給料の安さから定着しない。行政が期待する在宅ケアも様々な難問に直面している。

▼多死時代の裏側にある少子化問題

31年前の1982年、行天さんと私はNHK特集「日本の条件・医療　あなたの明日を誰が看《み》る」で、来るべき高齢化時代の医療問題を扱った。世界最速で高齢化時代を迎えつつある日本は、このまま行くと医療費がパンクする。これからの高齢者医療は「治す医療から、看取る医療へ」、「キュア(治療)からケア(介護)へ」どう舵を切って行くか、というのがテーマだった。番組でキャスターを務めた行天さんはその後も一貫して、超高齢化時代の医療問題と向き合って来た。

ご存知のように、その後の日本は、高齢者医療制度による医療費抑制、介護保険の導入による中間施設や在宅ケアへの移行といった政策を導入してきたが、まだまだ病院、中間施設、在宅の連携がうまくいっていないという。シンポジウムでは、限りある医療資源をどう使って行くのか。例えば、寝たきりなのに胃に穴を開けてまで(〝胃ろう〟までして)延命を図るべきか、治る見込みのない患者にどこまで治療を施すのか、といった問題も議論された。

特に印象に残ったのは、次の2点。一つは、どのように死を迎えるのか、ある程度の国民的コンセンサスが作れるような〝終末教育〟が必要なのではないか、ということ。一人一人の「死生観」にも関る問題である。このコンセンサスがない限り、病院は治る見込みのない患者にも過度な治療を期待され、いつまでも延命治療を続けることになる。パネリストの医者が「治る見込みがないと分かったら、自分は絶食する。1週間食べなければ人間は死ねる」と言っていたのが印象的だった。それだけ医療の現場も切迫しているのだろう。

もう一つは、「これからは在宅ケアだと言っても、家で看る家族がいない」という切実な声である。現在は高齢化とともに少子化の時代。子どもを作らなかった一人暮らしの老人や、子どもと同居せずに老人が老人を支える老々介護が普通になっている。そんな中で、どうして在宅ケアに移行出来るのか。日本の超高齢化時代の医療問題の裏側には、これも急速に進行する日本の少子化問題が大きな影を落としている。

▼縮む日本。姿を現して来た「少子化」の深刻さ

日本の未来を考える時には高齢化よりも、むしろ急速に進行する少子化の方が大問題かもしれない。増田寛也氏(元総務相)によると、日本の少子化の深刻な実態は、長寿化による高齢者の増大で見掛け上隠されてきたが、その高齢者が(多死時代を迎えて)減少に転じるにつれ、多くの地域で「人口減少の本来の深刻な姿」が見えて来たと言う(時代の風、毎日11／10)。

人口が維持される(一人の女性が一生のうちで産む子供の平均人数である)合計特殊出生率は2・1とされるが、今の日本はこれが1・41(2012年)でしかない。これを日本の地域別に当てはめて行くと、恐ろしい現実が見えて来る。まず、これから30年以内に全国の500を超える市町村が消滅する。今、限界集落などと言っている所はあっという間に消えて行くだろう。さらに頼みの首都圏では、むしろ子育て環境が悪く出生率は1・09と極端に低い。これが日本全体の人口減少に拍車をかけて行く。

しかも、私や団塊世代の老人がこの世からおさらばすれば、若い人たちの時代がやって来ると思ったら大間違いだ。少子化の未来は決して明るいものではない。統計を探すと、僅か30年以内に人口は2680万人も減る一方で、65歳以上の高齢者の割合が23％から38％に増えてしまう。私の子や孫の時代になっても、日本は人口が縮む一方でさらなる高齢化問題に苦しむことになる(＊1)。

「縮む日本」。これは、地球温暖化や巨大地震以上に、科学的に明確に予言できる日本の近未来である(私は、どこかのテレビ局が「シミュレーション・ドキュメンタリー」を作ってくれないかと思う位だ)。30年と言うと、まだまだ先のことと思うかもしれないが、私が番組で高齢化時代の医療を考えたのは30年前。振り返ってみれば30年などはあっという間だった。しかも、地方の消滅は時間との競争であり、待ったなしの状況にある。

▼若い世代の政治参加をどう促すか

では、「高齢化と人口減少」という近未来の衝撃を少しでも和らげるために、日本は何をすべきか。増田氏は東京圏の都市機能を地方に分散させる国土政策を、と訴えている。地方を活性化して首都圏への人口流入に歯止めをかけ、子育てに適した地方を守る。この都市機能の地方分散化は、地震など様々な危機にも耐える〝柔構造の日本〞を作るメリットもあるだろう。待機児童の解消や児童手当も大事だが、国は今こそ、来るべき現実を直視して課題解決のための「国家の基本計画」を作らばければならない。防衛問題にばかり目が行っている今の政治家たちに、そこまで考える余裕はあるのだろうか。

そういう意味で私は、少子化という近未来の危機を乗り越えるためにも、是非若い世代に政治に参加してもらいたいと思っているのだが、今は、60歳以上の有権者によって選ばれた60歳以上の政治家が、60歳以上の人たちに向かって政治をしている感じだ。こうした状況を今の若い世代が打開できるか。若い世代が自分たちの未来のために政治に参加して、政治を取り戻すべく立ち上がることが出来るか、である。

実は最近、この点で少し考えさせられることがあった。それは、今年の夏に大学の学生たちに出した番組企画の宿題である。参院選挙の反省もあったのだろう。少なからぬ若者たちが、「若者の政治参加と投票行動」、「棄権による若い世代の損失」といった問題意識で番組企画を書いて来て心強く思った。20年後、30年後と言えば彼らこそ社会の中核で日本を支えている層である。国民投票法の投票権の問題(＊2)もあるが、若い世代の政治参加を促していくことこそ、これからの政治が(同時にメディアも)真剣に考えるべきテーマだろうと思う。

（2013年11月23日）

（＊1）例えば、現在の日本は、現役世代（20歳から64歳）の3人が1人の高齢者を支えている状態だが、これが2030年には1・9人で、2050年には1・4人で支えなければならなくなる

（＊2）選挙権年齢を18歳に引き下げる改正公職選挙法は2016年に公布された

世界を食い荒らす強欲経済

必ずやると言っていた消費税増税の延期をあっさり決めて、安倍政権がそれを理由に7月10日の参院選に向けて走り出している。消費税増税の延期に理由をつけるために、海外から都合のいい経済学者を呼んだり、

サミットで世界経済の危機説を持ち出したりと、アベノミクスが思うように行っていない原因を国際経済のせいにしようとしたが、選挙が始まると、相も変わらず「効果が出ているアベノミクスの好循環を全体に押し広げる」、「アベノミクスをもう一段ふかす」と繰り返している。海外のメディアからは「消費税先送りのためにサミットを利用した」などと揶揄されてもどこ吹く風である。

アベノミクスの好循環など全然起きていないのに、もう一段ふかすなどと言うのは、戦争中の大本営発表と同じで、負けているのに「転進」などと言い換えたのと同じだと誰かが言っていた。そこにあるのは、自分に都合のいい情報しか伝えようとしない不誠実さなのか、それとも経済成長の看板さえ掲げていれば何度でもだませると、国民を見下しているのだろうか。そうしたことに呆れていてばかりもいられないので、今回は、アベノミクスより大きな問題になってきた、最近話題のパナマ文書、タックス・ヘイブン、そして消費税といった税金にまつわるキーワードをつないで、その背後にある巨大な影の実体を探ってみたい。足元の日本にも関係の深いテーマである。

▼税金を払わない超富裕層

ご存じのように、税金は一般に課税対象額(収入)が多いほど税率が高くなる累進課税になっている。日本の場合、所得に対する税率の最高は昭和49年(1974年)の75%から徐々に下がって平成元年(1989年)には37%まで下がった。その後、45%まで是正されたが、富裕層の税負担はかつてより大分軽減されて来た。しかも、実際に税務署に所得金額を申告した人の税負担率は、所得が1億円の人の28・3%をピークに、所得が増えるに従って税率が下がるという奇妙な実態になっている(「タックス・ヘイブン　逃げていく税金」)。これが「1億円の壁」とも言われる問題である。

所得100億円の超高額所得者に至っては、13・5％しか税金を納めていない。こうした所得はほとんどが株式の売却による収入だが、日本の税制では特別措置が適用されるからである。これだけでも不公平なのに、超富裕層には海外のいわゆる租税回避地「タックス・ヘイブン」に金を送って脱税や節税を行う抜け道がある。これは外国でも同様で、最近問題になっている「パナマ文書」にも出てくるような一握りの超富裕層が税金逃れで得た富で世界の半分の資産を手中にし、富裕層と貧困層の格差をさらに広げる原因となっている。

▼租税回避地に流れた巨額の金行き先は？

この4月に世界で一斉に暴露された「パナマ文書」は、そうした税金逃れの氷山の一角が現れたものである。パナマの弁護士事務所（モサック・フォンセカ）を通して世界の租税回避地「タックス・ヘイブン」にペーパーカンパニーを作っている顧客情報20万件がリークされ、その顧客だったアイスランド、中国、イギリスなどの政治家や取り巻きが窮地に陥っている。日本関連でも40以上の法人、450人以上の個人（中小企業の経営者、医者など）が含まれていた。こうした顧客は多くの場合、得た利益については秘密にして（本国に）税金を納めない。

タックス・ヘイブンの特徴は、そこが無税ないしは極めて低い税率であることだが、最大の問題（顧客にとってはメリット）は取引の情報が表に出ないことである。タックス・ヘイブンを通して超富裕層が預けた巨額の金がどこで何に投資されているのか、幾ら利益を上げたのかつかめないようになっている。しかも、彼らの巨額の金はタックス・ヘイブンにはない。全世界のコンピュータネットワークを通して瞬時に英国やアメリカの金融街に集められ、そこでグローバルな投機に使われて行く。それが金融のグローバル化なのである。

その金はどのくらい巨額なのか。国際税務専門家によれば、およそ30兆ドル（1ドル110円として

3300兆円)がタックス・ヘイブンがらみだという(毎日5/22)。これは、日米中3カ国の国内総生産(GDP)の合計に匹敵する額だ。こうした金の一部を使って為替取引に使われる金は、世界で一日あたり5兆3千ドル(580兆円)にもなる(遠藤乾、朝日5/26)。これは日本のGDPをしのいでおり、まさに実体経済とはかけ離れた巨額の資金が世界で日々暴れているわけである。また、そうした投機によって上がった利益は、脱税されて超富裕層を一層富ませていく。その脱税額は、3兆ドル(330兆円)に上るという。

そうした脱税をどう阻止するかもさることながら、問題は30兆ドル(3300兆円)に上るタックス・ヘイブンがらみの金の背後に誰がいるか、誰がその金を操っているのかだと、(私たちの勉強会の先生である)赤木昭夫さんが書いている(世界7月号「パナマ文書事件 国際錬金術師の影」)。赤木さんによれば、こうした金を使って多種多様なデリバティブ(金融派生商品)に投資しているのは、世界の金融を牛耳る多国籍のゴールドマン・サックス、シティグループ、JPモルガンといった巨大投資銀行であり、彼らがその巨額の金を使って世界の経済を背後から操っている(食い物にしている)のが実態だと言う。

▼世界を食い荒らす強欲な資本主義

彼らの本拠地はアメリカとイギリスの金融街にある。為替から株、穀物から資源までのあらゆるデリバティブを考え出して金儲けの対象とし、先物が上がれば儲け、下がっても儲ける仕組み(金融派生商品)を考え出して投資する。ゴールドマン・サックスなどは、ギリシャの財政危機に際して借金の一時肩代わりを高利で持ちかけて巨額の儲けを手にしたりした。また、通貨危機や戦争のドサクサの価格変動で儲けたりする強欲ぶりである。昔の火事場泥棒のようなものだ。

さらに、一日あたり580兆円に上る為替取引においても、世界の巨大投資銀行は談合して相場を決めていたという事実を3年前に暴露されている。談合で決めた取引額を密かに入力して相場を有利に操作、巨額の利益を上げていたことに対する罰金を課されている。彼らにとってはアベノミクスの異次元の金融緩和なども、集団で円安予想を共有すれば、先物取引で簡単に巨額の利益が得られる投機の対象だったに違いない（＊1）。

こうして世界の経済はあらゆる局面で、巨大投資銀行の金儲けの対象と化して行く。彼らにとって金儲けの機会は、世界の安定よりも不安定の方にあるため、経済危機や戦争・紛争を望むという危険な傾向さえ指摘されている（「ショック・ドクトリン」）。彼らの投資活動や脱税支援は一国の税金収入を危機にさらし、社会維持のための資金的余裕を失わせているが、彼らに対する国際協調は穴だらけでなかなか進まない。

ＥＵなどは脱税阻止のための規制を強化しようとしているが、巨大投資銀行が集まるイギリスなどは、規制に消極的だという（これがＥＵ離脱の理由の一つと勘ぐる向きもある）。一方、巨大投資銀行（ゴールドマン・サックス）とクリントン家の密着ぶりも指摘されていて（「世界」）、各国の政治家達は彼らの脱税指南によって首根っこを押さえられているのかもしれない。というわけで、タックス・ヘイブン問題は強欲なグローバル資本（巨大投資銀行）と主権国家とのせめぎ合いの場になっているが、当然ながら国際社会は劣勢に立たされている。

▼公平な税制とは何か。もっと税金に目も向けるべき

では、こうした強欲な経済が幅をきかす世界情勢の中で、日本のアベノミクスや消費税問題を考えるとどうなるのだろうか。消費税は一律に10％を消費にかけるという点で低所得者層に厳しく、富裕層に軽いという性格がある。累進課税率の低下や株売買の特別措置などで、富裕層がより豊かになる今の税制を是正しな

いで、消費税の増税にばかりこだわるのは、果たして公平なのか(＊2)。

さらには、アベノミクスの異次元緩和で市場に流れ出した膨大な資金(結局は国民の借金)の行方である。それが実体経済のてこ入れには使われず、投機のためのタックス・ヘイブンに流れていたとすれば、何のためのアベノミクスかということにもなる。アメリカ大統領選挙に限らず、世界各地では格差を巡る論争が激しくなり、貧困層の政治的不満が高まっていることを見ても、私たちはより公平な社会を目指すという理念を忘れずに、税金のこともう少しじっくり学ぶ必要があるのではないか。

(2016年6月15日)

(＊1) 2022年10月一か月間に政府・日銀は急激に進行した円安を食い止めるために6・3兆円規模の為替介入を行ったが、これは世界で1日に動く為替取引額(現在1千兆円、円ドルだけでも125兆円)に対して砂漠に水をまくようなものとも言われる

(＊2) 消費税は結局この3年後の2019年10月から10％に引き上げられた

格差と分断から共生の社会へ

英国のEU(欧州連合)離脱(＊1)という衝撃波は、この先の世界にどのような影響をもたらすのだろうか。二つの世界大戦の発火点がヨーロッパであったことの深刻な反省から生まれた統合の理念は、再び各国の内向きの主張がぶつかり合う中で崩れて行くのだろうか。今回の離脱劇には幾つかの要因が指摘されているが、いずれも根底には様々な格差と分断がある。

EUの恩恵を感じない貧困層からみると、給料も高く、上から目線で細かい規制をかぶせてくるEUの統治機構そのものが憎むべき特権階級(エスタブリッシュメント)に見える。さらには、EUが人の自由な移動

を保証したことから生じる格差問題がある。低賃金の移民の流入によって脅かされる労働者階級と、安い労働力を使って富を得る富裕層との格差も拡大する一方だ。

こうした格差は、労働者階級と特権階級との分断、旧移民と新移民との分断、若者と高齢者の分断、都市と地方との分断など、様々な分断を国内に生み出す。「格差と分断」はイギリスに限らない。アメリカ大統領候補のトランプやサンダースが白人層や貧困層の支持を得てきたのも、アメリカ社会の深刻な格差と分断の反映と言える。世界に蔓延する格差と分断は、時に声の大きい煽動者によって巧妙に利用されて独裁者を生んだり、ヘイトスピーチなどの、より弱い人々への攻撃になったり、外敵(隣国)との緊張を高めたりして、世界を不安定にする。これは今の日本も例外ではない。こうした「格差と分断」の深刻な脅威を現代社会は乗り越えることが出来るのか。最近読んだ本などを参考に、日本の場合を考えてみたい。

▼日本の格差問題。所属する組織を持たない人々が見えているか

今の日本の最大の「格差と分断」の一つである正規雇用者と非正規雇用者の関係について、歴史学者の小熊英二(慶大教授)が、「二つの国民　所属なき人見えているか」というタイトルで、書いている(5／26朝日)。1990年には20%だった日本の非正規雇用者の割合は、2015年には倍増して40%を超えた。小熊は、会社や労働組合など「所属する組織を持つ人々」(第一の国民)は、「所属する組織を持たない非正規雇用者」(第二の国民)に対して総じて無関心で冷たいと言う。それは第一の国民で占められるマスメディアも政治も同じで、大方の報道や政策は第一国民の(上から目線の)生活感覚や価値観で行われがちだという。

次に、一口に「第二の国民」と言っても、内実は多様で、単に平均年収が200万円前後といった厳しさだけでない。結婚もままならない若い世代、中高年独身、シングルマザー、年金だけでは生活できない高齢

者と実に様々で、一人一人抱えている厳しい事情は違っている。そうした個別の事情に「第一の国民」側の人々は無関心で冷淡だ。私も定年後にそうした非正規の有期雇用の人々を多く抱える組織に足をおいているが、多くは5年契約者で、5年経てばその人が持っているスキルがどうあれ、抱える家族がどうあれ、再就職が難しい中高年であれ、辞めて行かざるを得ない。彼らの今後にどういう困難が待ち受けているか、組織の管理職には殆ど見えていないように見える。これが今の日本の実情なのではないか。

少子化や子供の貧困、高齢者の介護問題、あるいは人口減少で消滅に瀕する地方など、今の日本が抱える社会的、政治的課題の多くが、国民の40%を占める非正規雇用者が直面する課題とも関連している。そして、様々な分断線はその非正規雇用者の間にも引かれている。それなのに、こうした課題に取り組むべき政治家やメディアが、その多様な分断の実態をみることが出来ず、真にそのニーズに寄り添えないのは問題と言わざるを得ない。「格差と分断」が、欧米のように社会的不安定や戦争への誘惑、テロの温床になる前に、それをできる限り緩和し、より安定した社会を次の世代に引き継いでいくにはどうすればいいのだろうか。

▼勤労国家の価値観の遺物。日本の再分配政策が陥っている3つの罠

格差を緩和する方法の一つとしては、生活困窮者への税の再分配がある。しかし、生活保護世帯に対する若者層の反感や、育児手当に対するバラマキ批判にみるように、日本の社会は低所得者層への再分配(「救済型再分配」)に冷淡かつ批判的という特徴がある。「分断社会を終わらせる」の著者、井出英策(慶応大教授)、古市、宮崎ら3人は、こうした特徴は経済成長の右肩上がりの時代に作られた価値観を引きずっているからだという。税収が右肩上がりに伸びている時代は、生活困窮者の問題は小さく、それぞれが頑張って明日の豊かさを求めてきた。しかし、時代は一転して低成長時代に。税収が少なくなったにもかかわらず、予算は

大盤振る舞いを続けて来た。

財政赤字が積み上げられる一方で、高齢化にもともなって生活困窮者は増え続ける。国民みんなが借金の大きさに不安になる中で、増え続ける生活困窮者への救済は様々な批判の対象とされるようになった。税金のバラマキと批判され、非寛容さが目立つようになる。著者らは、日本の「救済型再分配」が抱えるこうした問題を「3つの罠」に整理している。一つは「再分配の罠」。再分配しようにも財源がない中で、どこで線を引くのかが難しい。漏れた低所得者からも、負担を強いられる中高所得者からも文句が出る。限定給付の難しさがかえって社会の分断を強める結果となるわけだ。

二つ目は「自己責任の罠」。かつて自助努力で豊かさを獲得してきた高度経済成長時代の価値観が、低成長の今も自己責任論となって弱者に冷淡な国民感情として持続している。そして、三つ目が「必要ギャップの罠」。生活困窮者のニーズは多様である。しかし、かつての社会福祉は現役の勤労者世代に厚く、働く女性の増加による子育てや教育、高齢者の介護といった今の時代のニーズに対応できていない。ニーズがずれることによって、対立や分断が生まれているわけだが、著者達はこうした罠は1970年代の高度経済成長時代に作られた勤労社会の価値観(「勤労国家レジーム」)を引きずっているからだと言う。その負の遺産が、所得階層間、地域間、世代間、男女間の対立を深め、日本社会の分断を大きくしている。

▼「救済型再分配」から国民各層が支え合う「共存型再配分」へ

こうした「勤労国家レジーム」の遺物を脱却し、発想を変えて社会各層が支え合う「共生社会」を目指すにはどうすればいいか。この問題に対して著者の井出達が提案するのは、必要とするニーズに対して、国民全員が現物給付を受ける「共存型再分配」だ。国民誰もがある段階で必要とする教育や医療、育児・保育、養老・介護といったニーズに対して、誰もが平等に無料化などの現物給付を保証されるというものである。弱者救済と言った限定性がないので、受ける方にも出す方にもひがみや恨みを生まない。同時に、この「共存型再分配」には、２つの効果が期待できるという。

一つは、結果としての格差是正である。誰もが一定額(例えば50万円分)の現物給付を受けるということは、低所得層の収入(例えば２００万円)に対しては高率(25%)だが、高所得層(例えば1千万円)には低率(５％)の「再分配」になるからだ。もう一つは、こうした現物給付が社会に安心と安定をもたらし、国民の消費行動と勤労意欲を高め、結果としての経済成長が期待できるということである。著者達は、こうした「共存型再分配」を可能にする財政政策についても提案している。これだけ格差が拡大し、経済成長の足かせや社会不安の要因となっている現在、社会各層がともに支え合う〝共生社会〟を作る意味でも、現物給付の考え方は、その実現性も含めて大いに検討すべきテーマだと思う。

「格差と分断」に悩む世界では今、すべての国民に一定額を支給する「ベーシックインカム」など、税の再分配についての模索と実験が始まっている。著者達の考え方は、使い道を問わない「ベーシックインカム」ではなく、ニーズに対する「現物給付」であることが特徴だが、国民の間にさらなる分断を生みかねない「救済型再分配」から、国民各層が恩恵を受ける「共存型再分配」へは、一つの流れになりつつある。

しかし、相変わらず右肩上がりの経済成長の幻影を追い続ける今の自民党に、こうした流れが見えているかどうか。「共存型再分配」による共生社会の実現のためには、政治を変える必要があるわけだが、そのためにはまず、(「保育園落ちた。日本死ね」(*2)のように)今や40%を超えた「所属する組織を持たない人々」が主体となって、自分たちの声を上げる必要があるのではないか。

（２０１６年7月３日）

（＊1）２０１６年の国民投票で決まった英国のＥＵ離脱は、２０２1年1月1日から実施された

（＊2）２０１６年2月に保育園に子どもを入れることが出来なかった主婦が、ネットで安倍の「一億総活躍社会」政策を批判して政治問題化した

歴史認識の暗くて深い溝①

２０１８年のＮＨＫの大河ドラマは、明治維新の立役者の一人、西郷隆盛を描く「西郷《せご》どん」になるそうだ。このドラマがどんな展開になるのかまだ分からないが、案内を読むと人間西郷の愛すべき人となり、あるいはリーダーとしての魅力を描くものになるようだが、ちょっと心配なのはこのドラマがこれまでの明治維新もののように、ステレオタイプの歴史観に基づいて志士たちや西郷隆盛を持ち上げて描くことである。というのも、主人公の西郷隆盛を含めて明治維新の担い手たちについては、最近は一頃と随分違う評価で描かれることが多いからだ。

▼勝者と敗者の歴史の中で作られる歴史認識の溝

彼ら明治維新の実行者たちは、外国から迫られていた変革に対して適応力を欠いていた無能な江戸幕藩体制に代わって、近代的な明治国家を作り上げた功労者として描かれることが多い。しかし、その彼らも最初はむしろ頑迷な攘夷論者であり、あるときは(後述するように)残酷きわまりないテロリストとして京都や江戸を恐怖に陥れた。そのやり口は、時の幼皇を騙して利用するような謀略的、策謀的なものだった。特に長州藩の志士たちは、やがては政治を牛耳る長州閥として、その謀略好きの性格を昭和期まで引きずり、無謀

な日中戦争、太平洋戦争に突入させた元凶として描かれることさえある。

彼らは、ある意味では、260年余続いた平和(非戦)の上に築かれた豊かな江戸文化を破壊した革命家たちであり、それによって失われた日本の良さもまた大きい。そうした歴史認識は、明治維新を勝者の側からだけ描いてきたこれまでの歴史観によって水面下に閉じ込められて来たが、最近では、明治維新の負の側面にも光を当てる物語(「明治維新という過ち」など)が幾つか浮上している。そうした本を読むと、加害者と被害者、あるいは勝者と敗者の違いで、歴史がどのように見えてくるのか、その違いの背景にあるものが少しは見えてくるように思う。

そうした違いは、最近になってサンフランシスコ市の公共広場に従軍慰安婦の像を建てたり、南京大虐殺の記録をユネスコの世界記憶遺産に登録したりした太平洋戦争の被害者である韓国や中国の人々と、加害者である日本との歴史認識の違いにも通じるだろう。戦後50年、100年以上経過しても容易に解消されない歴史認識の違いとはいかなるものか。あるいは、その違いを逆手にとって、自分たちに都合のいいように歴史をねじ曲げる「歴史修正主義」が生まれる構図とはいかなるものか。2回にわたって「歴史認識の暗くて深い溝」について書いてみたい。

▼会津人の悲劇を書いた遺書

「ある明治人の記録」は、会津藩(藩主は譜代大名の松平容保)の家臣の家に生まれ、西軍(官軍)の奥羽征伐の中で、祖母、母親、兄嫁、姉妹まで6人が自害した柴家の五男、柴五郎の回想録である。男たちが戦いのために城に登っていた時に西軍が攻めてきて、城に逃れるように勧められたにもかかわらず、「戦闘に役に立たぬ婦女子はいたずらに兵糧を浪費すべからずと籠城を拒み、敵侵入とともに自害して辱めを受けざることを約しありしなり」(同書)と、女性たちは死を選んだ。当時10歳の柴五郎は、後でそのことを知り地に倒れて慟哭する。

会津藩5千の籠城軍は、7万5千の西軍と果敢に戦ったが、武器の性能の差はいかんともしがたく、少年白虎隊も含めて多大な犠牲を出して1ヶ月後に降伏した。長州の山縣有朋などに率いられた西軍は、いわばならず者集団で、その後の会津藩がなめた辛酸は筆舌に尽くしがたいものがあった。死者はさらし者にされ、切り刻まれ、女性たちは「会津に処女なし」と言われるほどに陵辱された。それは、武士道精神を守り続けてきた会津の人々にとって許しがたいものだった。しかも、戦いの後で藩士の家族たちは寒風の吹きすさぶ下北半島に追いやられ、多くが餓死せざるを得なかった。(柴五郎の生涯について詳しくは、村上兵衛「守城の人」を)

そんな中で、柴家に生き残った男たちは、いつかこの恨みを天下に晴らすことを胸に誓いながら辛うじて生き続け、あらゆる機会を捉えて五郎に教育を施す。やがて軍隊に入った五郎は刻苦勉励して陸軍大将にまで上り詰める。「ある明治人の記録」は、彼が門外不出の遺書のつもりで書いたものを、後に石光真人が筆写し出版したものである。その中で、五郎は明治になってからの(西南戦争における)西郷の死、そして大久保利通の暗殺のニュースに関して、「余は、この両雄、維新のさいに相謀りて武装蜂起を主張し、会津を血祭りに上げたる元凶なれば、(略)当然の帰結として断じて喜べり」と書いている。

▼残虐なテロリスト集団としての志士たち

そもそも、通常の感覚ならば西軍の奥州征伐、そして会津戦争は不要だった。会津藩主の松平容保たちは、戊辰戦争後に和平の嘆願書を西軍に差し出し、恭順の姿勢を示していた。しかし、奥州鎮撫軍の参謀を努めた長州の世良修蔵に拒まれて、やむなく立ち上がったという。この世良という男は成り上がりのならず者で、仙台まで来たときに手当たり次第に女を犯して、仙台藩の恨みを買って殺され、それが奥羽列藩同盟のきっかけになっている。西郷たちも彼ら幕藩体制の盟主たちを武力で制圧しなければ、新しい世は来ないと思っていた。

長州だけでなく、西郷たちのやり口もひどかった。ならず者のテロリスト集団「赤報隊」を作って江戸の薩摩藩邸から出没させ、火付け、強盗、強姦、強殺を行って江戸幕府を挑発。幕府が薩摩藩邸を取り締まりのために襲ったのを口実に戦いに持ち込む。これが戊辰戦争の引き金となった。しかも、用済みの「赤報隊」は、後に粛正されている。彼ら明治維新の志士たちは、こうしたテロリズムの性格を内包しながら、時代を動かしていった。天誅と称して、京都で佐幕派を斬り殺し、首や腕を関係者の屋敷に投げ入れる。さらに、さらし首などの残酷な処刑を行って、都を震え上がらせた。

▼「まだ120年しか経っていない」。勝者と敗者の溝

「明治維新という過ち」は、後に陸軍の中枢を占めた長州閥に関しても次のように指摘する。「幕末の長州とその長州が創り上げた後の陸軍に共通するものは、〝狂気〟である。〝長の陸軍、薩の海軍〟という言葉が示すとおり、帝国陸軍とは実は長州軍の巣窟とも言える集団であって、戊辰戦争を経て成立した薩長政権のキャラクターは、大東亜戦争(太平洋戦争)の基板要因になっていたのである」。この本は、かなり一方的な薩長告発の書で違和感を覚えるところも多いが、著者が批判する維新の面々のテロリズム、あるいは謀略好きが、あの戦争に導いたとする指摘は興味深い。

明治維新後の歴史は、勝者の歴史として書かれて来たので、戊辰戦争の際の西軍が天皇の詔勅を偽造した

り、錦の御旗を偽造したりした謀略なども含め、西軍の負の側面はあまり表に出されて来なかった。その陰で、会津の人々は長い間、敗者の怨念を背負ってきた。昭和61年(1987年)、会津戦争から120年が経過するのを前に、山口県萩市長(長州)が会津若松市長に和解を申し入れした際に、市は「あなた方にとっては〝もう120年〟かも知れませんが、私たちにとっては〝まだ120年〟しか経っていない」と言って断ったという。

勝者と敗者の間にある溝は、かく暗くて深い。国外に目を広げると、太平洋戦争中に日本軍が中国大陸で行った残虐行為の規模は、明治維新時に比べて桁違いに大きい。それは国と国のわだかまりとして戦後70年以上経っても、消えていない。日本は様々な謝罪と補償を行いながら、なるべく早く忘れようとしているのに対し、被害者である韓国や中国の人々は、その非人道的な扱いの記憶を歴史から消し去ることに抵抗する。その複雑な構図と、その中にあって歴史を自分に都合のいいようにねじ曲げようとする歴史修正主義の問題に関しては次回に書きたい。

(2017年12月2日)

歴史認識の暗くて深い溝②

前回は、明治維新における敗者と勝者、被害者と加害者による歴史認識の「暗くて深い溝」について書いたが、こうした歴史認識の違いが表れる場面は世界中至る所にある。それは主に戦争や植民地政策に関するものだが、例えばナチス・ドイツによるユダヤ人大量虐殺などもその一例。そのやり口があまりに残虐で非人道的なものだったから、ドイツの極右や歴史修正主義者からは「600万人などと言うのはウソだ」から、「ユダヤ人の大量虐殺はなかった。ガス室は存在しなかった」まで、この期に及んでなお自己正当化を図ろうとする主張がなされたりする。

日本に関して言えば、韓国や中国側が執拗に謝罪要求をしている戦争責任問題がある。その一つ、従軍慰安婦問題に対しても、日本側からは「あれは日本の国家が関与したものではなく、韓国の業者が勝手に集めた慰安婦だ」、「強制連行はなかった」、「慰安婦が20万人もいたというのは誇大だ」といった反論が続いている。あるいは、市民30万人を日本軍が殺害したとする中国での南京大虐殺（1937年）についても、「当時の南京市には30万人もいなかったのだから、数字は誇大だ」という指摘から、「南京大虐殺はなかった」まで様々な異論・反論がある。

これらの主張には一部に理はあっても、本質的な問題を無視していると批判を招く「歴史認識の違い」から、自分の都合のいいように歴史的事実をねじ曲げる「歴史修正主義」まで様々なレベルがある。それは、自分たちにとって心地いいかも知れないが、言えば言うほど個人だけでなく集団、あるいは国同士の様々な嫌悪感や敵対心を増幅し、平和構築へのハードルを高めることになる。もちろんこれは、加害者と被害者、あるいは勝者と敗者の双方に存在する問題だが、こうした不幸な歴史認識の溝や歴史修正主義は何故生まれるのか。乗り越えることは出来ないのか。

▼遅れてやって来た日本の植民地主義

従軍慰安婦問題にしろ、南京大虐殺にしろ、その背景には日本が明治の近代国家になってから進めてきた隣国との戦争、植民地化、そして侵略行為がある。その〝歴史の大筋〟は次のようなものである。日清戦争（明治27年）、日露戦争（明治37年）で勝利した日本は、台湾を併合し（明治28年）、韓国を植民地化する（明治43年）。そして、それまで眠れる大国（清帝国）を好き放題に食い荒らして来たヨーロッパ列強に追いつこうと、中国大陸に利権の足場を築いていった(柴五郎の伝記を書いた村上兵衛の「守城の人」は、この時代の背景にも詳しい)。

こうした日本の植民地政策は、安全保障上の必要もあったが、一方で東洋にあって西側に位置づけられるためには、西欧列強と同じように植民地を持つことが必要と考えていたこともある(「日本の近代化とは何であったか」)。それは驚くほどに、戦略的に慎重に練られた政策だったという評価もある(「それでも、日本人は戦争を選んだ」)。しかし、その後の日本は、既に第1次世界大戦後の世界が植民地主義の反省期に入っていたにもかかわらず、欲張って中国東北部に進出し、傀儡政権の満州国(昭和7年)を作って〝大陸経営〟に乗り出す。このあたりから日本は孤立と泥沼にはまっていく。

▼大義なき侵略戦争の泥沼の中で

この頃になると、国家の運命をもてあそぶ謀略好きな軍人が暗躍し始める。謀略によって蒋介石の中華民国と戦端を開き、日本を無謀な戦争に引きずり込んでいく。上海を攻略した日本軍は余勢をかって南京まで突出して、いわゆる南京大虐殺を起こす。これが日中戦争(昭和12年〜)である。さらには、蒋介石を支援する英仏の支援ルートを断つために〝南進〟を決定、東南アジアにまで戦線を拡大する(昭和15、16年)。当時の日本は「大東亜共栄圏」や「アジアの植民地解放」などをスローガンに掲げたが、この戦争の実質は大義なき侵略戦争だった。そして、この〝南進〟が米英を敵にまわすきっかけとなった。

その大義なき泥沼戦争の中で時代錯誤の精神論がはびこり、日本軍によるアジアでの数々の残虐行為や非人道的行為が起きた。また、植民地政策の中でも様々な抑圧と人権侵害があった。これが、明治以降の戦争と植民地政策の〝大筋〟である。但し、この〝大筋〟の周辺には当然のことながら、その局面局面で多くの出来事があり、それらの局面を捉えて、「太平洋戦争は自存自衛の戦争で、侵略戦争ではない」、「あれはアメリカが仕掛けたものだ」、「韓国併合は韓国が希望したものだ」といった主張がなされ、冒頭に上げたような南京大虐殺や従軍慰安婦についての極論が持ち出される。

▼歴史認識の違いと歴史修正主義。その本質

確かに、南京大虐殺については、過去のＮＨＫスペシャル「日中戦争〜なぜ戦争は拡大したのか〜」(２００６年８月放送)を見ても、殺害された人数に関し、軍の公式記録では６６７０人となっており、(それが過小なものとしても)中国側の主張する30万人という数は過大と思われる。また、従軍慰安婦問題にしても、(強制連行の記録はなく)国家が直接関与した証拠もない。これらをもって、「〝大〟虐殺はなかった」、「〝従軍〟慰安婦ではない」という主張もあり得るとは思うが、全否定的な主張は被害国からすれば受け入れがたいものであり、ここに歴史認識の違いや歴史修正主義の厄介な問題がある。

というのも、問題の本質は(南京で)何千という住民を一カ所に集めて周囲から機関銃で撃ち殺すといった非人道的な虐殺的行為や、国家の一機能である軍が慰安所の運営に関与したという事象が示す非人道性なのであって、数の違いや国家の直接管理の有無ではないからだ。その非人道性の本質に対して日本は謝罪を求められてきたのであり、あれこれ理由を持ち出して拒否するのは、世界に理解されない(「ナショナリズムの正体」)。それでも謝罪を自虐的だと拒否する人々の歴史認識や、自分に都合のいいように歴史をねじ曲げる歴史修正主義は、なぜ生まれるのだろうか。

▼歴史認識の暗くて深い溝。その心理的背景

ここでは2つの見方を上げたい。一つは、戦争責任を曖昧にするために敗戦を終戦と言い換え、アメリカに対しては「原爆でやられたんだから仕方がない」と敗けを認める一方で、アジアには負けていないとする心理である。この人々はアジアへの侵略については「自存自衛」とか「八紘一宇」(＊1)のための戦いだと言って、侵略の罪を認めようとしない。これは、アジアへの居直りとアメリカへの従属(敗戦意識)がセットになっているという、厄介な心理であり、その奥底には戦前の日本のように強い国になりたいという「列強願望」が居座っている(白井聡「永久敗戦論」)。

もう一つは、孤独な現代人に特有の「自分の心情と国家が直結する」現象である。身の周りの共同体が希薄な人々(特に若者)は、日本がバカにされると、自分もバカにされたような気になりやすい。そうすると、かっとなって従軍慰安婦の本質も見えなくなり、簡単に国家ナショナリズムになってしまう(「ナショナリズムの正体」)。おそらく、自国と自分に都合のいいように歴史を脚色する歴史修正主義に飛びつくのも、そうした心理のせいだろう。ネット社会になって、この手の国家ナショナリズムが、(相手国のナショナリズムにも刺激されて)ますます勢いを増しそうで心配だ。

▼〝歴史の大筋〟を間違えずに、未来志向で

正しい歴史認識とは、歴史(戦争)の反省を踏まえて戦争を国際問題の解決の手段にしないことである。このことから言えば、韓国の一部活動家たちが行っている「少女像」の設立運動なども含め、レベルの低い双方の国家ナショナリズムは互いに無視して、私たちは〝歴史の大筋〟を間違えることなく、敗者・勝者の心情の違いを十分に思いやりながら、互いの未来のために友好的で平和な関係をどう構築するかに、心を砕い

ていくべきだと思う。（２０１７年12月13日）

（＊1）天皇のもとで世界を一つの家のようにするというスローガン

科学技術立国の揺らぐ足元

２０１８年10月21日、「ミスター半導体」と呼ばれた元東北大学学長の西澤潤一さんが92歳で亡くなったという報に接し、若い頃に取材で西澤さんにお世話になったことを懐かしく思い出した。西澤さんは半導体や半導体レーザー、赤や緑の発光ダイオードなど、数々の独創的発明を行って一頃はノーベル賞候補として毎年のように注目された。36年前の１９８２年、私たちはＮＨＫ特集「技術大国の素顔」(3回シリーズ)の制作に取り組んでいた。私の担当は3回目の「破れるか模倣技術の壁」というもの。日本は海外生まれの技術を模倣して洗練する術には優れていても、自前の独創技術は少ないと見なされていた頃の問題提起である。

当時の西澤さんは「闘う独創技術」などという本で紹介されてはいたが、まだちょっと変わった発明者扱いで、所長を務めていた半導体研究所(仙台)の運営がなかなか軌道に乗らずに苦労されていた頃である。仙台駅に降り、打ち合わせの寿司店に伺うと、西澤さんが入り口に立って待っていたので恐縮した。寿司をつまみながら、当時西澤さんが抱えていた光ファイバーの特許を巡る裁判について伺った。彼は半導体のみならず、光通信の原理についても世界でいち早く提案していたのだが、日本はそれを評価せず、高い技術料を払って米国から技術を移入していた。それに対する公憤が彼を裁判に駆り立てていたのである。

話が半導体研究所の運営に及ぶと、西澤さんは「これまで私は、3度ばかり首をつらなくてはならないと思ったことがありますよ」と言った。賛助企業の僅かな会費で特許の優先権を押さえられていた研究所は、特許を有効活用できずに度々財政難に陥った。「日本の企業は、外国でもやっていると言えば安心するけれど、外国にもない独創技術を育てるのに極端に慎重なのです」。私たちは、西澤さんの研究所に通いながらそこに眠っている沢山の特許証を撮影し、光ファイバーの独創技術を巡る日米の攻防を描いた。同行したカメラマンが「本物の人というのはこういう人を言うのだなあ」とつぶやいたのが印象に残っている。

▼年々低下する日本の科学技術力

後に文化勲章まで受章する西澤さんは、一貫して日本が基礎研究に力を入れ独創技術を育てることの重要性を強調した。誰もやっていない研究をするのは、足がすくむものだという。それをやる天才に加えて、それを正しく評価する優れた評価法や人間(目利き)が必要になる。ともすると陥りがちな日本的減点主義を排して独創の本質を見抜いて育てること。それを目指さない限り、成功率0・6％(アメリカの場合)の独創技術は生まれない、というのが西澤さんの意見だった。これは、最近とみに研究開発の劣化が言われる日本の現状にも通じる警鐘と言っていい。

今年ノーベル医学・生理学賞を受賞した本庶佑《たすく》さんを始め、近年のノーベル賞受賞者たちが口を揃えて言うのは「基礎研究の大切さ」である。その背景には、日本の科学技術のレベルが主要な外国に比べて目に見えて低下している現状がある。よく引き合いに出される「ほかの研究者からの引用数が世界トップ10％に入る論文数」で、日本は10年前の4位から9位に。アメリカ、中国に遠く及ばず、英国、ドイツ、フランス、イタリア、カナダ、豪州などより下になっている(＊1)。一体、日本の研究開発の現場で何が起きているのだろうか。

▼大学運営資金の減額による疲弊化

日本の研究開発の現場が疲弊し、国際的にも低下を続けている要因は幾つもあげられているが、一つには小泉改革のもと竹中平蔵などが進めた「大学の法人化」(2004年)が大きい。大学に経営感覚を持たせる目的で大学に競争原理を持ち込み、交付金を減らす一方で、生産性の高い研究をさせて競争的資金を充てるものである。これで大学の運営交付金は年率1%ずつ減らされ、これまでに1470億円が減額された。競争的資金(1000億)が増えたと言うが、交付先は偏っており事務的作業も膨大になって、少しずつ国立大学の体力を奪って来た。資金集めに奔走する研究者の研究時間も1300時間(2002年)から900時間(2013年)に激減しているという。

また、競争的資金の支給期間(3年から10年)に合わせて雇用も任期付きになるため、国立大学の教員(40歳未満)の63%が非正規雇用に甘んじている。博士号を取得しても大学の正規ポストに就けない、いわゆる「ポスドク」が増え、若い研究者たちは身分が不安定で腰を据えて研究が出来ない。あるいは、すぐにでも成果の出る研究に走りがちになって、基礎研究を目指す研究者がいなくなる。また、こうした不安定な現状を見て、研究職(博士号取得)を目指す若者が減っている。人口当たりの博士の数では日米中韓仏英独の7ヶ国の中で日本だけが減少している。

加えて、これからは人口減で大学を目指す若者(18歳)が極端に減って行く。18歳人口は1992年の205万人をピークに減少に転じ、このところ120万人で推移していたが、今年から再び急速な減少になる。20年後の2038年には91万人(ピーク時の4割)に減ってしまう。研究の担い手が減るばかりでなく、大学はこれから深刻な経営難に陥り、倒産や統廃合に追い込まれ、研究どころではなくなるかも知れない。以上のような憂慮すべき状況は「負の連鎖」(朝日社説10/15)ともいうべき構造的なものであり、科学技術立国を目指す政府の方針とは裏腹に、その足元は大きく揺らいでいる。

▼官邸が采配する「選択と集中」の悪影響

こうした現状にメスを入れることをせずに、アベノミクスを掲げる安倍政権は「成長戦略の柱に科学技術を」と言って、別のアプローチから科学技術政策に力を入れてきた。その司令塔となるのが内閣府の諮問機関である「総合科学技術・イノベーション会議」(ＣＳＴＩ)で、成長戦略に結びつくような科学技術を探してきた。２０１４年からは、このＣＳＴＩの下に(これまであった)「戦略的イノベーション創造プログラム」や「革新的研究開発推進プロジェクト」と言った会議を置いて、それを通して「芽のある研究」にカネを配る体制をとって来た。

このように内閣府のＣＳＴＩが科学研究予算の配分権まで持つようになると、そこに官邸や産業界の意向が強く反映されるようになった。そうした研究費配分の際に、都合のいい免罪符として官僚たちに使われて来たのが、「選択と集中」という言葉である。しかし、「選択と集中」を誰がやるかと言うことになれば、真の目利きは極めて少ない。その結果、「科学技術の現場がわかる人がいなくなり、(すぐに成果が出そうな)〝出口志向の研究〟ばかりやるようになった。今やＣＳＴＩは政治家が科学技術を牛耳るための装置として使われている」(旧科学技術庁ＯＢ)といった厳しい指摘もある。そういう中で、例の「省エネコンピュータ詐欺事件」(＊2)のような政治家がらみの不祥事なども起きて来たのだろう。

研究費全体が増えない中で、大学の運営資金を減らす代わりに競争的資金を設けるという考え方は、過度な競争と脱落者を生むだけで、研究者をいたずらに疲弊させる(毎日オピニオン1／12)。また、そうした資金を得る術に長けている東大などに研究費が集中して、大学間格差を広げる結果にもなった。選ばれて大型資金を得た研究者は保守的になり、成功体験の延長線上で研究しがちになり、結果として「ゼロからのスタート」といった独創的な研究が育ちにくくなる。まさに、西澤さんが40年ほど前に言っていた警鐘がそのまま今の日本に蔓延しているわけである。

▼科学技術の現状から隔てられている私たち

定年後の一時期、私は日本の科学技術に資金を投じる政府系研究開発機関で働いたことがあるが、そこでの議論が閉鎖的なことに驚いたことがある。巨大なムラ社会のようで国民が置き去りにされている。AI、ゲノム編集、ビッグデータなど、これからの科学技術は人類の未来に大きな影響を与えるものが多い。その中で科学技術をどう進めていくのか。独創技術をどう育てていくのか。科学志望の若者を増やすためにも、本当は科学者と国民がよりオープンに議論し、ともに考えて行く環境を作ることこそが必要となってくるのだが、私たち国民は科学技術の現状から余りに遠く隔てられていると言わざるを得ない。

（2018年11月5日）

（＊1）2020年に日本は12位に転落、スペイン、韓国にも追い抜かれた
（＊2）スーパーコンピュータで世界トップの省エネ性能を出したとして、政府系研究開発機関から多額の研究費をだまし取った事件

「失われた30年」の自画像

2019年、時代は平成から令和に変わった。メディアは令和礼賛と皇室関連企画の一色だったが、中には、（眞子さまと小室圭氏に関するような）祝賀ムードに便乗したあまりに軽薄な報道も続いて、いつまでも

皇室報道に浮かれていないで、そろそろ自分たちの足元を見たらどうかと思ってしまう。忘れてならないのは、平成の天皇皇后がこれだけ国民の敬愛を得て来たのは、先の戦争に対する深い反省と憲法尊重、そして災害弱者に心からの同情を寄せ続けて来たからだ。その敬愛は同時に、最近の右傾化政治が、これらをおろそかにして来たことへの皮肉かも知れない。その政治の傾向は令和になっても変わらず、日本はむしろ平成の天皇の思いとは一層違う方向に向かうだろう。

それだけでなく、日本はこの30年の間に表面的なカラ元気とは裏腹に、真に解決すべき課題を先送りすることによって国力が衰退し、深刻な状態が続いている。今の安倍政権は、特定秘密保護法（２０１３年成立）、安保法（集団的自衛権など。２０１５年成立）などの国論を二分するテーマばかりにかまけて足元の現実は置き去りにされてきた。安直に金余り現象を作ってきたアベノミクスもしかりである。それがどういう結果を日本にもたらしているのか。いわゆる平成の「失われた30年」の間に日本はどこまで世界に取り残されてきたのか。私たちが直面する「日本の自画像（現実）」について書いてみたい。

▼失われた30年は、日本の一人負けの時代

バブルが崩壊した後の「失われた30年」で、日本の国際的地位がどのくらい低下したのか。それを物語る衝撃的な数字を、最近の記事から拾ってみる。まずは経済面で。バブル崩壊直前の１９８８年、日本のＧＤＰは世界第２位で、１位のアメリカを激しく追い上げていた。一人当たりのＧＤＰでも日本はスイスに次ぐ第2位に躍進。当時の株式時価総額の世界上位10社中、７社が日本企業、そして上位50社中、32社が占めた。そして、東京取引証券所が世界最大の市場になる。これが平成の幕開け（１９８９年）の日本の輝ける姿だった。その頃の中国のＧＤＰはまだ日本の10分の１に過ぎない。

それがバブル崩壊後の無策によって一転する。この30年の間に、世界のGDPは4・5倍になり、中国は33倍、韓国8・4倍、アメリカ3・9倍、ドイツ3・2倍に伸びたのに対し、日本は1・4倍にしかならなかった。平成幕開けの20年後(2009年)に日本を追い抜いた中国は、この10年で日本の2・7倍にも急成長。世界2位だった「一人当たりのGDP」で、日本は香港やシンガポールにも抜かれ世界の26位にまで落ちた。株式時価総額でも上位50社に入るのは今やトヨタ1社(45位)のみという惨状だ。平成の「失われた30年」は日本の一人負けの時代と言っていい(毎日記者の目5/3)。

▼落ち込む科学技術力。平成は敗北の時代

技術力の分野でも、半導体、太陽電池、光ディスクなどで高いシェアを誇った技術が、いつの間にか中国や台湾、韓国に追い越されてしまった。次世代のIT通信(5Gなど)やAI技術でも米中が遥かに先を行っている。この傾向は、科学研究の分野を見ても一目瞭然だ。「科学技術振興機構」の調査によれば、2015年から2017年の質の高い151分野の科学論文の国別シェアでは、トップがアメリカ(80分野)と中国(71分野)の2ヶ国に独占され、かつてはアメリカとトップを分け合っていた日本は、殆どが6位から15位に低迷している。

前経済同友会代表幹事の小林喜光は、今や日本を引っ張る技術が見当たらない状況だと指摘し、「この有様を敗北と言わずして、何を敗北と言うのでしょうか」、「このままでは、令和の時代に日本は五流国になってしまう」と憂えている(1/30朝日、5/10毎日)。政治家や多くの日本人はまだ30年前の日本の輝かしい記憶の残影を引きずっているのかも知れないが、国の基幹となる経済分野とそれを牽引する科学技術の分野ではこれが現実。掛け値のない「日本の自画像」である。平成の30年はまさに「敗北の時代」だったわけで

ある。

▼ぬるま湯に浸っているうちに、忍び寄る社会崩壊

それでも、日本国民の75％が今の生活に満足し、その傾向は若者ほど高くなる(2018年6月の内閣府調査)のはどういうわけか。若者の安倍政権への支持率も高いままだが、以上のような現実を直視すれば、日本は後戻りできない衰退への道をたどっているのではないかと心配になる。しかも、こうして国民が過去の遺産と一流国幻想を引きずって〝ぬるま湯〟に浸かっているうちに、今の日本には既に、格差社会などという生ぬるい状態を通り越して、「放置すれば社会崩壊」という深刻な階級社会が生まれつつあると言う指摘も現れ始めた(橋本健二・早大教授4／3毎日)。

その階級社会で最下層に属する人々(アンダークラス)は、928万人(就業者の15％)にのぼる。多くは、バブル期以後に非正規雇用が増える中で、一度も正社員になったことがない。平均個人年収186万円(月15・5万円)で暮らし、安心して家庭を持つことも出来ない。59歳以下の男性に限っても未婚率は66％に上る。労働者の使い捨て時代では、容易に貧困から抜け出せず、固定化しつつある。これは自己責任といって済む話ではなく、日本は社会崩壊を防ぐためにこの人々とどう支え合って行くのかが問われている。

▼〝ゆでガエル状態〟を脱することは可能か

こうした危機的な「自画像(現実)」を直視することなく、安倍政権は「強い日本を取り戻す」、「世界の真ん中で輝く」などと一流国幻想を振りまきながら、課題先送りを続けて来た。支持率を維持するために目先の景気対策に終始して、財政出動と金融緩和というカンフル剤依存症に陥っている(5／3毎日)。しかしご承知のように、この先の日本には、少子高齢化と莫大な財政赤字という恐ろしい〝時限爆弾〟が時を刻んでいる。小林喜光は今の日本は「危機感が欠如した〝ゆでガエル状態〟」にあり、いずれ煮え上がるだろうと警告する。日本は、この安逸と停滞の状況から脱出することが出来るのか。

確かに今の日本には豊かな文化遺産と自然環境があり、戦後74年続いた平和による社会的安定と治安の良さがある。問題は、先人から受け継いだこうした豊かな「社会的共通資本」をいかに毀損せずに次世代に手渡していくのかである。皆が「何となく上手く行くのではないか」と思っている状況で、そんなことは可能なのか。「失われた30年」の各種記事にはその処方箋も幾つか書かれているが、「成長の芽を探し続ける」、「日本が強みを持つ分野に重点投資する」など、ありきたりで曖昧だ。私なりに言えば、大事なのはまず、今の社会に蔓延している上滑りで安逸な「国のメンタリティー、時代精神」をどう変えていくかではないだろうか。

▼若者が冒険できる時代精神を

話は変わるが、ユダヤ人は世界の人口の0・2％を占めるに過ぎないが、文化的な分野で世界的な著名人を輩出し、科学分野でもノーベル賞を受賞した人が全体の20％前後にのぼる。こうした突出した成功を理由づけるものとして、評論家の内田樹はユダヤ人の性格として、「自分が現在用いている判断の枠組みそのものを懐疑する力」と「自分を規定する自己緊縛性を不快に感じる感受性」を仮説として提示する（「私家版・ユダヤ文化論」）。つまり、現状に満足せず、常に自己を改革して行く民族的メンタリティーのことだろう。

日本が未来を切り開く革新を成し遂げて行くには、こうしたメンタリティーを少しでも見習って、日本の時代精神をその日暮らしの「ぬるま湯的」なものから、明治初期にもあったような進取的で前向き、活力に満ちた冒険的なものに変えて行く必要がある。その主役は当然、若い人たちになる。遠回りのようだが、遅れている教育制度を改善し、若者に積極的に投資する社会を作って行く。そうすることで、「失われた30年」で色あせた「日本の自画像」を、豊かで活力のあるものに書き換えて行かなければならない。

（2019年5月16日）

年金、2千万円問題の裏側

2019年の通常国会も土壇場になって、平均的な65歳と60歳の夫婦がこれから30年、公的年金だけで生活した場合、2000万円が不足するという、金融庁の報告書の扱いを巡って国民の不信が高まっている。最初は、「従って、今のうちから（財産形成を）考えておかないといけない」と報告書の意義を述べていた麻生財務相だったが、「2000万円などはとても無理だ。100年安心と言っていたのに何だ！」という国民の（誤解も含めた）反発を受けると、一転して「政府の方針と違うので」と報告書の受け取りを拒否。政府も閣議で報告書そのものをなかったものと決め、議論を封じる作戦に出た。

閣議決定を盾に、「報告書を前提にしたお尋ねについてお答えすることは差し控えたい」などという、国民を馬鹿にした姑息な態度が不信を招き、最近の世論調査（FNN）では、麻生の受け取り拒否を不適とした回答は72・4％、年金制度に不信感が増したという回答は51％に上っている。支持率でも安倍内閣（3・4％減）、自民党（5・1％減）、参院での自民投票先（8・5％減）と、軒並み数字を落としている。いくら平均的なデータに過ぎないと言い張っても、現実は現実である。何が政府の方針と違うのか丁寧に説明すればいいものを、選挙に影響するからと不都合な現実を隠す、その政治姿勢に国民は怒っている。

▼30年間の不足2000万円の根拠

一体、2000万円赤字問題の裏側には何があるのか。そもそも年金問題は複雑で、(私もその一人だが)正確に答えられない人の方が多いのではないか。そこで何が問題なのか、今回の報道を契機に少し調べてみた。日本の公的年金は国民年金(国民全体)と厚生年金(サラリーマンの年金)の二本立てになっているが、特徴的なのは「仕送り方式」と言って現役世代から徴収する保険料を今の高齢者の年金に当てる仕組みである。現役世代は今の高齢者を支える代わりに、将来の現役世代から年金を〝仕送りして貰う〟という順送りの制度になっている。

受け取る額は幾らかというと、国民年金はほぼ一律(平均月額5・5万円＊1)だが、厚生年金はそれぞれの現役時代の給与によって変わってくる。大体、「現役時代の40年間に払った保険料と、老後の20年間に受け取る額がほぼ同じ」というから、その人が毎年納めている平均的な保険料の2倍が受取額になる。保険料は給与のおよそ2割だから、年金の方は平均月給の4割くらいと考えればいい。以上2つの公的年金を合わせると月額平均で21万円になり、今の高齢者(2人世帯)の平均支出26万円と比べると毎月5万円不足する。これが30年で計2000万円になるので、投資で資産形成に励めというのが金融庁の報告書だった。

▼平均では見えない年金格差、貯蓄額の格差

しかし、一口に月額21万円と言っても年金受給者全体の平均値だから、21万円より多い人もいれば、「えっ、そんなに貰う人もいるのか！」と思う人もいる筈だ。現役時代の平均給料が月額20万円なら厚生年金は4割の月額8万円だし、月額40万円の人は倍の16万円になる。しかし、年収200万円未満の非正規社員が1600万人もいる現状からすれば、多くの人は将来の受取額が月額7万に満たず、国民年金と合わせても

夫婦で20万円に届かない。これが一人暮らしとなると、月額13万円にしかならない。数から言えば多くは平均以下で、21万円以上は全体でも少数派になる筈だ。

加えて、今の日本ではサラリーマン経験のない自営業など、国民年金しか受け取れない人々がかなりの数（正確なところが分からないが、およそ１５００万人）に上る。この人たちは、月額平均５・５万円（夫婦で11万）の年金になる。これでは一月の赤字が到底５万円では納まらない。しかも、ある保険会社（ＰＧＦ）が今年60歳になる男女２０００人を調査した結果、貯蓄額（配偶者がいる場合は２人分）の平均は約３０００万円だが、その内訳を見ると、老後の生活が比較的安心な貯蓄額５０００万円以上の割合は全体の15％しかいない一方で、１０００万円未満の割合が25％、１０００万円未満も54％に上る。２０００万円以下になると全体の67％になる。

年金が少なく、30年の赤字が２０００万円を遙かに超えそうな人々が多い現実。加えて貯蓄額の平均値を引き上げる少数の富裕層がいる一方で、国民の半数以上が２０００万円など遠い夢という現実がある。こうした格差があるにもかかわらず、いきなり上から目線で「２０００万円の赤字だから財形を」と言われても、国民の多くは「馬鹿にするな」ということになる。しかも、政府は２００４年に改定された年金制度をもとに支給額の見直しを続けて来て、安倍首相も「年金（制度）は１００年安心」などと宣伝してきた。ここに、年金制度への誤解も相まって国民の不信感が一気に高まったわけである。

▼誤解を振りまいた政府の「年金は１００年安心」

政府が「１００年安心」と謳った年金制度改革とはどんなものだったのか。それは一言で言えば、少子高齢化が進む中で仕送りする側の現役世代の負担がどんどん増えてしまうのに歯止めを掛け、制度を維持するためのものだ。そこでは高齢者の受け取る年金を、将来にわたって現役世代の給与の50％（現在は約60％）は補償しようと限度を設けた。加えて、状況の変化（現役世代の減少や平均余命の伸びなど）に応じて支給額を見直す（マクロ経済スライド）とした。これによって制度の維持そのものは可能として「100年安心」と言ったのだろうが、多くの人は100年安心して年金に頼れると受け取ったわけである。

「100年安心」と言えば、「年金生活が安心」と受け取るのが普通だが、政治は敢えてその美しい誤解をふりまいて来たとも言える。本来は、年金は老後生活の柱ではあるが、全てをまかなえるわけではないときちんと伝えるべきだった。しかも、その額は状況に応じて徐々に減っていく。今回はたまたま「2000万円足りない」という、金融庁の報告書があったお陰で多くの人がぬるま湯的なイメージの中にいたことに気づいたわけだが、それも考えてみると、多くの国民にとって現実は、報告書などより遙かに厳しいことに気づくのである。

▼厳しい現実に蓋をして、豊かさの幻影に浸る政治家と官僚

野党の方もその誤解（「100年安心」）をもとに盛んに政府を責め立てるが、攻め方のピントがずれていて、選挙目当ての印象がぬぐえない。問題は、国民の半数以上が十分な貯蓄もなく年金だけでは暮らせない現実に直面していることである。しかも、これから貯蓄を促されても老後などを考える余裕のない非正規雇用者の割合は、歯止めなく増加している。現在、非正規雇用者は全体の38％にまで増え、その74％は年収200万円以下で暮らしている。こうした人々に老後が心配だから、今から投資して2000万円を貯めろと呼びかける非現実性に、役所も政治も気づいていない。

今、かつかつに生活している多くの人々が高齢になった時に、日本社会はどうなるのか。年金制度は生き

残ったとしても生活破綻する高齢者が大量に出現することになる。しかも、その現実はすぐ近くまで迫っている。これをどうするのか、どういう対策を立てるのか。年金問題の核心は格差問題にあるのに、金融庁の報告書は年金政策と称して、平均以上の人々に目をつけ投資を勧める脳天気さだ。これは相当意図的なもので、審議会のメンバーを見ると、そこには金融証券会社や投資コンサルタントのメンバーが名を連ねていることから分かるように、隠れているのは「国民の間に眠っている資金を市場に回す」という思惑である。

この低成長時代に、個人のお金をリスクのある投資に引きずり込むことの胡散臭さもさることながら、こういうメンバーには、右に書いたような厳しい現実に直面する多数派の人々の苦悩は、全く頭に浮かばなかったのだろう。年金問題に疎かった私だが、こうして「年金生活2000万円赤字問題」の裏側を覗いてみると、政治家も官僚も(そして国民の多くも)目の前の現実から目をそらし、かつての豊かさの幻影に浸っている索漠とした風景が広がっていることに気づく。

(2019年6月23日)

(＊1)　2023年現在はおよそ6・6万円

2　政治の劣化と脅かされる民主主義、メディア

テレビ制作者は今も「放送人」か

▼全国放送の重圧

もう35年も前の話だが、私は6年の地方勤務を終えて東京勤務になり、全国放送の番組を担当することに

なった。30分の科学ドキュメンタリー番組である。それまでは、15分のローカル放送番組をどこか気楽に作っていたのだが、全国放送となると緊張の度合いが全く違っていた。

何カ月もかけて取材した素材を30分に編集するのだが、仕上げはしばしば徹夜になり、朝一番でフィルムを現像所に届けることになる。それからコメントを書く。一つ一つ事実を確認しながら書いて行くのだが、これも往々にして徹夜明けで台本印刷に回す。

時折、時間に追われてあいまいな記憶のままにコメントを書いてしまうと、収録してから放送までの間、それがずっと嫌な感じで心に引っ掛かった。駆け出しのディレクターとしては、番組の出来不出来よりそういう時の方が、全国放送の重圧がずっしりと響いた。また、これが嫌で、たかが30分の番組だったが、これでもかと言うくらい事実の確認に気を使うようになった。

▼放送という仕事は、この苦労に見合うのか？

このようにして作った番組が初めて全国に放送された時のことである。ふとある思いが浮かんできたことを、今でも鮮明に覚えている。それは、「自分がこんなに苦労して作った番組は何かの役に立ったのだろうか」、「番組作りという仕事は、事前の苦労に見合うのだろうか」という思いである。あんなに苦労して作った番組があっという間に終わって、ちょっとあっけない感じがしたためかもしれない。

苦労と言っても、それはあくまで主観的なものである。ドキュメンタリーを作ることは、当時の自分にとってはその位大変だったのだと思う。企画から提案、取材先との交渉、番組構成作り、ロケ日程の作成まで、全部一人でやらなければならない。明日からロケが始まるというのに、取材先がまだ決まらないなどということが何度もあった。

しかし、「番組作りという仕事は、事前の苦労に見合うのだろうか」という疑問が浮かんだのは、最初の一度だけだったように思う。へとへとで死にそうになっても、放送が終わると再び「次は何をやろうか」という思いがどこからか浮かび上がって来る。「これって、一種の麻薬のようなものじゃないか」などと思ったこともある。自分が番組を作ることに、ある種の手ごたえのようなものを感じ始めていた。

▼梅棹忠夫「情報の文明学」から

その「手ごたえ」の内容が何だったのかは、後で書くが、こういう昔のことを書いたのには実は理由がある。今から50年も前に書かれた「情報の文明学」(元国立民族学博物館館長、梅棹忠夫)の中に、全く同じことが書かれていることに、最近になって出くわしたからである。テレビ草創期の当時、放送業界と付き合いが深かった梅棹は、「放送人の誕生と成長」という考察の中で以下のような文章を書いている。

「番組制作者たちの仕事ぶりをみていて、わたしは、ときどき、ふしぎな感じにおそわれることがある。それはこういうことである。かれらは、まことに創造的であり、また、まことにエネルギッシュである。しかし、かれらのつくっているものが、かれらのはげしい創造的エネルギーの消耗に、ほんとうにあたいするものなのであろうか。」

「まったく、ラジオもテレビも放送してしまえばおしまいだ。どんなに苦心してうまくつくりあげた番組も、一回こっきり、あとになんにものこらない。そのために、何日も、何週間もまえから、ひじょうな努力をはらうのである。これはひきあうことだろうか。」

▼「放送人」の誕生

梅棹は、彼ら「放送に携わる人間」がむだな努力をしているということではない、と断りながら、無駄と思わない彼らの論理をはっきりさせることが、放送人というものの性格を明らかにすることだと言う。その論理を彼は「その番組の文化的効果に対する確信みたいなものがあるからではないか」とし、「放送の効果が直接的に検証できないという性質を、否定的にではなしに、積極的に評価した時に、〝放送人〟は誕生したのである」と書いた。

梅棹によれば、「その効果が直接的に測れないという点で、放送人は教育者と同じであり、教育者が、その高度の文化性において聖職者とよばれるならば、放送人もまた一種の聖職者である」。ただし、「かれらのエネルギー支出を正当化する文化的価値というのは、もっとひろい意味での「情報」の提供ということであって、倫理的、道徳的な価値とはまるで尺度がちがうものである」とした。

▼社会と深くかかわる感触

放送は、梅棹が言うように具体的な効果が測れない。にもかかわらず、制作者は一見過剰とも思えるエネルギーを番組に注ぎ込む。視聴率と言うものもあるが、仮に視聴率が高くてもドキュメンタリーなどの評価とは本質的に違うものだ。梅棹は、制作者のよりどころを「文化的効果に対する確信」と書いたが、私の場合は何だったのか。苦労を厭わずに番組を作り続けた理由である。

私の場合、それは、番組が持つ社会とのかかわり、インパクトへの手ごたえではなかったかと思う。社会に対して新しいメッセージを伝えること。それによって社会の何か(それは単にものの見方であってもいいが)が変わるかもしれないという期待。そのために、社会の何をテーマとして取り上げるのか。さらに、それを、どのように効果的に伝えるのか、という工夫のし甲斐だったように思う。こうしたことが、梅棹の言う「文化的効果に対する確信」かどうかは分からないが、そう考えた時、社会的にある種の特権も与えられた番組制作者とは、極めて魅力的な職業でもあった。

▼テレビの現状、2つの懸念

「放送人」というのは、梅棹が初めて使った言葉である。別なところで、彼は放送人について、「いつまでたっても偉大なるアマチュアである。絶対にスペシャリストにならない。それがかえって魅力なのだ」と言い、その理由として「まず第一は技術革新がはげしい。いつも社会の変化の最先端にいる」と言った。

梅棹の「情報の産業論」は全体に、現在の情報産業(情報産業というのも梅棹の造語だった)の発展を見事に言い当てていて、その卓見には驚くばかりだ。しかし、放送産業については、このフロンティアとしての自由さがいつまで続くかは分からない、とも言っている。

この論文が最初に世に現れてから、すでに半世紀が過ぎた。この論文を読んで今のテレビを見るとき、私は2つのことを懸念せざるを得ない。一つは、テレビ制作者はその草創期のように「文化的効果に対する確信」を持って番組を作っているだろうか、という懸念である。

彼の論文の頃には、それほど重視されなかった視聴率や接触率が今や、番組効果のすべてを測る指標となった感がある。制作者たちが、自分が何を伝えたいのかという思いを離れてひたすら視聴率をねらう傾向はますます強くなっている。それが放送の質を落とし、テレビの社会的役割を低めることにつながっていないだろうか。

毎日、どのチャンネルをひねっても同じ顔ぶれのタレントが飽きもせずに似たようなことをやっている創造性の貧困。ワイドショーでは、歌舞伎役者の暴行事件が長時間報道され（まさに「ジャンクフード・ニュース」の典型）、それと殆ど同じレベルで民主党の内紛が日課のようにニュースになる。テレビはかつての情熱を置き忘れて惰性に流れ、自分で自分の首を絞めているようにしか見えない時がある。

もう一つは、常に技術的革新の中心にいたテレビが、いまやその中心から外れて来ているのではないか、という懸念である。梅棹が予見したごとく、情報産業そのものはますます社会の中心に位置するようになった。しかし今や、その技術革新は主に、インターネットの世界から生まれるようになっている。

多種多様な情報機器が出現し、それに向けて多くの人々をひきつける新しいコンテンツが生まれている。その変化の中心からテレビがはずれつつある時、テレビにはどんな運命が待っているのだろうか。若い世代のテレビ離れが進む中で、テレビ制作者たちはさらに過酷な視聴率競争に追い立てられて行く。その時、放送人たちはいつまで創造的な情報の伝達者であり続けられるのだろうか。

▼自己崩壊を避けるために

気付かないうちにオールドメディアになったテレビは、若い時の惰性でチープなジャンクフードを無茶食いして肥満になり、様々な成人病を抱える中高年のような存在になりつつある。だが、その現実を直視して自己を律し、果敢に可能性に挑戦して行けば、まだまだ独自の存在感を発揮できるはずだと私は思う。

放送に携わる人間たちが、その存在意義の低下に妥協し、かつて冗談で卑下したように自らを「虚業家意識」に堕してしまったら、放送人は職業人として自己崩壊してしまう。放送人のはしくれだった私は、テレビにまだ質の高い情報の伝達者として「どこかで踏みとどまってもらいたい」と、願っている者の一人ではあるが、この先、テレビはどうなるのだろうか。

（２０１０年12月30日）

世界と時代に逆行する秘密国家

特定秘密保護法の強行採決が目前に近づいている(＊1)。この法案の欠陥と危険性については、すでに天下にさらされており、多くのメディア、法律や歴史を含む各分野の専門家、ジャーナリスト、市民が法案に反対している。最近の新聞(朝日、毎日、日経)の世論調査では国民の1／4強が賛成、半数が反対。或いは8割が慎重審議を、と変わって来た。にもかかわらず、政府与党が強行採決しようとしているのは、これ以上審議を長引かせれば、どんどんボロが出て来て反対が増えると思っているからだろう。

短期決戦に持ち込めば、多くの国民は何やら危険なにおいを感じるものの、それが身近に差し迫ったものとは思わない。あるいは将来、この法律がどのような魔性を顕わすのか、想像ができない。かくして、明らかに時代の転換点に差し掛かっていながら、当事者である国会議員も含めて、国民がうかうかと目の前の危険を見逃してしまう状況は、法律の性格は違うけれど、1925年(大正14年)に悪名高き「治安維持法」が成立した時と同じように思える。

▼私たちはどういう国家と向き合うことになるのか

安倍政権がこの法案の成立を目指す目的は、同時に成立させる「国家安全保障会議(日本版NSC)」のためだとしている。ここに民間人を参加させた場合に、アメリカから提供される機密情報がその民間人から漏れるのを防ぐために必要だと言う。それならそれで、関係者だけを対象にした法律を加えればいいのに、なぜ国民全体の知る権利や取材活動まで制限しようとするのか。

しかも、本家のアメリカでさえ国家機密の指定や解除については、それをチェックする強力な監察機関(国立公文書館・情報保全監察局)がある。また世界では、国家機密の保護の必要性は認めながら、(国民の権利と人権を守る)情報公開とのバランスを図るべきだとする新しい原則(ツワネ原則)も作られている。しかし、日本の場合はこの世界の流れにも逆行している。法案成立後の明日から、私たちは一体どういう国家と向き合うことになるのか。(杞憂に終わることを願っているが)様々な情報の中から、以下の二点に絞って懸念を指摘しておきたい。

① 最も危険な時に、国家の暴走を止められない

特定秘密保護法は、国の安全保障に関る4分野(防衛、外交、スパイ、テロ)の秘密を保護するためのものだ。行政機関(官僚と一部閣僚)が国会を関与させずに、基準があいまいな秘密を設定し、それを漏らしたり入手しようとしたりするものに対して、懲役5年から10年の厳罰を科す。何を秘密にするかの監査機関については、(安倍首相がここへ来て泥縄式にあれこれ持ち出しているけれど)まだ何も具体的に決まっていない。裁判では、何が秘密でその何に違反したのかも不明確なまま量刑が科せられるおそれがある。

これは、どんな行為が犯罪か、どんな刑罰を科すかは議会が定める法律に明記しなければならないという「罪刑法定主義」の趣旨に反しているという(ジャーナリスト、吉田俊浩氏)。このことは、憲法31条に基づく刑事法の人権保障、人身の自由を侵害する怖れさえ含んでいるというが、もしそうなら法の精神に反する法律と言える。

問題は国家機密という名のもとに、こうした刑罰の網が恣意的にかけられることの弊害である。仮に、国家が戦争という極めて危険な方向に暴走をし始めたとしても、外交戦略、軍事力の評価、軍事作戦、国民の動員など、最も国民の生命安全に関る情報が秘密扱いになり完全に遮断される。国益の名のもとに公益が抑え込まれ、メディアはもちろん国会さえも政府の暴走をチェックできないという事態が到来する。

特に戦争は、ベトナム戦争、湾岸戦争、イラク戦争と「メディア操作の技術」を磨いて来たアメリカの例を見ても分かるとおり、国家秘密と報道の自由が最も先鋭的に衝突する場面である。このことを考えると日本の法案はあまりに不備で、充分な議論もない。スパイ、テロへの脅しだけが突出していて、国民が知るべき情報が遮断される。これでは国家が再び危険な道を歩み始めても、国民は判断材料もないないまま国に付き合わされ、ついには生命・財産を失うことにもなりかねない。

②　黒塗りだらけの秘密国家と官僚天国

もう一つは平時から起こり得る問題である。よく言われるように、これまでも情報は官僚が握り、都合のいい時に都合のいい相手にだけ情報を与えて政治家と国民をコントロールして来た。この法案は、秘密指定に関与する官僚の立場を一層強くし、これまで以上に「官僚主導」を進めることになる。さらに悪いことには、この法律を盾に、官僚が自分たちに都合の悪い情報を隠せることである。説明責任を果たさなくなる。

月刊「SAPIO」の三井直也編集長が言うように、秘密保護法が成立すれば、マスコミや国会に堂々と「それは特定秘密です」と隠せるのだから、もはや官僚に怖いものはなくなる。仮にメディアが情報を得ようとしても、戦時中のように「黒塗りだらけ」の資料が来て、なぜそうなのか聞いても「秘密だから」としか言わない。この「黒塗りだらけの秘密国家」こそ、日本の将来を蝕む元凶になるのではないか。

この秘密主義は、官僚の都合のいいように、どこまでも拡大解釈される危険がある。原子力技術や科学技術の発明・発見のための情報公開、軍事技術の民間応用から、国の資源開発にまで網がかけられる恐れがある。この法案に対して、ノーベル賞受賞の科学者たちまで反対と言う意味は、そうした人間の文化科学活動が妨げられる懸念である。

そういうことがないようにすると下村文科相はいうが、大臣だって官僚にいいようにコントロールされて行くだろう。その情報コントロールは、時には、小沢一郎のケースのように、検察が自分の都合の悪い人物を抹殺する手段にも使われる。こうした官僚主義のはびこる国は、かつてのソ連のように発展の可能性を失って停滞して行く。将来の日本がそうならない保証はあるのだろうか。

▼世界の流れからも逸脱する日本

国家機密の保護については、今年の6月に国連や専門家たちによって「国家安全保障と情報への権利に関する国際原則」という指針(ツワネ原則)が作られた。それによると情報公開が規制される対象は国防計画、兵器開発、情報機関の作戦や情報源などに限定し、以下の原則が設けられているという(毎日、社説)。

・国際人権、人道法に反する情報は秘密にしてはならない
・秘密指定の起源や公開請求の手続きを定める
・すべての情報にアクセスできる独立監視機関を置く
・情報開示による公益が、秘密保持による公益を上回る場合には内部告発者は保護される
・メディアなど非公務員は処罰の対象外とする

これに比べると日本の特定秘密保護法はいかにも遅れていて、上にあげた2つの懸念からも分かるように、「知らしむべからず、依らしむべし」、「もの言えば唇寒し」といった戦前の封建主義や強権主義にも通じる古い体質を持っていると言える。国連の人権機関のトップも成立を急ぐべきではないと言い、アメリカの元NSC(国家安全保障会議)高官も日本の法案は国際基準を逸脱していると言っている。

にも拘らず、今の自民党政権は何故、こうした世界の先進的な潮流に耳を貸そうとしないのか。何故、時

代に逆行した古いままの法案を急いでいるのか。それを考えるにつけ、今の自民党政権の中で、明らかに欧米の先進国とは異なった政治感覚、精神構造、価値観が勢いを増しているように思えて来る。

（２０１３年12月５日）

（＊１）２０１３年12月６日深夜、参院本会議で強行採決

「暴露」監視国家の奢りと腐敗

スノーデン事件は、アメリカの地球規模の情報監視活動の実態を暴いて世界に衝撃を与えた。英国紙「ガーディアン」の記者グレン・グリーンウォルドがスノーデン本人に取材して書いた本「暴露　スノーデンが私に託したファイル」は、本家アメリカだけでなく、イギリス政府も巻き込んだ息詰まるような展開もさることながら、私たち日本人にとっても他人事とは思えない重大なテーマを幾つも含んでいる。

▼スノーデン事件の衝撃

エドワード・スノーデン（現在31歳）はもとアメリカ国家安全保障局（ＮＳＡ）の局員。２０１３年６月、アメリカの情報収集に関する極秘ファイルを大量に香港に持ち出した人物である。その後、香港からモスクワに移動し、現在もロシアによって一時的な滞在を許されているが、アメリカから逮捕状が出ており、この先どのような運命が彼に待ち受けているか誰も分からない（＊１）。

スノーデンがこうした行動に出たのは、ＮＳＡが行っている情報収集活動に対する疑念だった。「祖国の安

全保障」、「テロとの戦い」の名目で行われているNSAの情報活動が、多くの場合それとは何の関係もなく、最終的に世界中の人々のプライバシーを暴くような通信傍受、情報収集に乗り出していることを世界に知らせ、その是非を問うべきだと考えたからである。そして用意周到に選んだ記者にその内容をリークし、驚くべき実態を世界に知らせることに成功した。

将来の過酷な運命をも見越した覚悟の行動だったが、それに応えたのが英国紙「ガーディアン」の契約記者だったグリーンウォルドである。それから1年後にグリーンウォルドが書いた「暴露 スノーデンが私に託したファイル」は世界24カ国で同時発売され、ベストセラーになり映画化も決まった。スノーデンとの出会いから記事発表までの劇的な展開、世界に与えた衝撃については本に譲るとして、問題はファイルから明らかになったNSAの活動である。

NSAは膨大な国家予算を駆使し、国内はもちろん「ファイブ・アイズ」と呼ぶ国々(イギリス、カナダ、オーストラリア、ニュージーランド)の情報機関とも協力して、世界中の通信を傍受収集している。アメリカを通過するインターネットの結節点にアクセス(侵入)する。あるいは、フェースブック、グーグル、アップル、ヤフー、スカイプなどのソーシャルネットワークに情報提供を強要する。さらには、飛行中の機内メールまで傍受する。NSAの究極の目標は、地球全体を覆う(通信傍受の)完全なシステム構築だという。

▼法の濫用によって拡大する監視国家と秘密国家

NSAはもっとあくどいこともやっている。世界の10万台の対象ユーザーのパソコンに不正プログラム(マルウェア)を混入させて監視下に置く、あるいは国外に出荷されるネットワーク機器を定期的に押収して監視ツールを埋め込み、再梱包して輸出する。またはターゲットにした人間になりすまして、偽のEメールを出したり、偽のブログを書いたり、そのパソコンを脆弱化して第三者の攻撃にさらされやすくしたりもする。

ＮＳＡの通信監視プログラム（例えばＰＲＩＳＭ）によるアメリカ国内外の通信記録の傍受は、一カ月でメール９７０億件以上、通話１２４０億件に上るというが、こうした傍受は、その根拠になっている米国愛国者法（２００１年）や外国諜報活動監視法（２００８年）による範囲を大幅に逸脱している。オバマ政権は法律を拡大解釈して濫用し、歯止めのために作られた「外国諜報活動監視裁判所」が全く機能していないことも明るみになった。

アメリカ政府は、スノーデンによってこうした「無制限の監視活動」が暴露された後も、監視の影響を受けるのは特定のグループであって普通の一般人ではないと言い張って来た。同時に「テロの恐怖」を必要以上に宣伝し、その活動を国民の眼から隠すためにあらゆる手を使って秘密主義の壁を築いてきた。それによって、「全世界を覆うシステム構築」という自分たちの野望にまい進してきたのである。監視国家と秘密国家はある意味で表裏一体、コインの裏表でもある。

著者のグリーンウォルドは、「国家権力が濫用されても自分たちは安心だと考える無関心な人々や支持者らによって、権力が本来の適用範囲をはるかに超えて広がる土壌が生まれ、しまいにはその濫用をコントロールすることが出来なくなる」と言い、権力にとって法の濫用は「必然的なものだ」と書く。このことは、「特定秘密保護法」や「集団的自衛権」の適用範囲を巡って議論が続いている今の日本にも、充分当てはまることではないだろうか。

▼民主主義の理念が崩されて行く

こうした「国家権力による無制限の監視」によって崩されて行くのは、個人のプライバシー保護や報道・

表現の自由といった民主主義の基本理念である。デジタル技術が進化した現在、確かに様々な分野でプライバシーは脅かされているが、一方で「プライバシーは隠し事のある人のためのものであって、何もない人にとってはそんなに心配することではない」という意見も多い。しかし、私たちは個人のプライバシーこそ人間の基本的な権利だということを再確認しておく必要がある。

プライバシーとは個人的な領域であり、私たちが他者の判断基準に左右されずに、自分で考え、話し、書き、決めることが出来る場所だということ。その意味で、プライバシー保護は、自由な人間として生きるための核となる条件なのである。個人のプライバシーが侵され、秘密主義の権力側だけが大多数の国民の情報を握るということは何を意味するのか。それが、監視国家＝秘密国家の怖さなのである。

大量監視国家は、国家の構造を「個人に関する膨大な情報を握っている国家権力」と「監視されて委縮する被支配者(国民)」の二極構造に変える。古来、圧政的な国家は大量監視活動こそを最も重要な支配ツールの一つと考えて来た。大量監視社会によって作られるのは、法を濫用してまで国民を監視するという「驕りと腐敗の国家権力」と、監視を恐れて委縮する「羊の群れ」の二極構造だ。中国のことならともかく、民主主義を標榜するアメリカもそこまで変質しつつあるということに驚かざるを得ない。

そして、さらにもう一つ注目すべきは、こうした二極構造に異議を唱えるアウトサイダー(組織や体制から自由な部外者)という存在と、そのアウトサイダーに対する体制側の脅しと圧力である。事実、極秘ファイルを持ちだしたスノーデンや、それを記事にしたグリーンウォルド、英国「ガーディアン紙」に対する米英両国政府の脅しと圧力はすさまじいものがあった。国家の安全を脅かすものとして、2人を逮捕すべきだと言う意見は、政府、国会議員、それに体制に近いメディア側からも沸き起こっている。

▼体制的ジャーナリズムVS反権力ジャーナリズム

この場合のアウトサイダーとは、組織の無法を暴こうとする内部告発者や、報道の自由を武器に権力と対抗するジャーナリストである。政府側は彼らを人格障害者とか活動家と決めつけて非難し、体制的ジャーナリズムもそれに同調して来た。グリーンウォルドは、「暴露」の中で彼のような権力をチェックするジャーナリストと、体制に近いメディアとの具体的な違いを書いている。詳しいことは第5章「第四権力（メディアのこと）の堕落」を読んで頂きたいが、その指摘は体制的ジャーナリズムが幅を効かせつつある今の日本のメディア状況にもぴったり当てはまる気がして耳が痛い。

国家の安全保障の名のもとにアメリカ政府が非道に及んでいること、監視国家＝秘密国家は民主主義の基本理念を足元から崩すということを指摘している「暴露」は、今の日本にとっても様々な意味で重要なテーマを含んでいる本だと思う。

（２０１４年６月22日）

（＊１）２０２２年９月、スノーデンがモスクワに暮らしてから９年後にロシアは彼にロシア国籍を与えると発表した

「言い換え」と虚言の政治

ユダヤ人の政治哲学者、ハンナ・アーレントが戦後間もなく、まだヒトラーのナチスとソ連の独裁者スターリン（１９５３年死）の大粛清の記憶が生々しいうちに、人類が作り出した最も恐ろしい政治システムについて解明した大著が「全体主義の起源」（全３冊、１９５１年）である。とても全部を読む気力がないので、その集大成とも言うべき３巻目を手に入れて読み終えた。アウシュビッツ収容所の体験を書いた「夜と霧」（ヴィ

クトール・フランクル)などを読んで一応は知っているつもりになっていても、ヒトラーが突き進んだ全体主義の真の恐ろしさは、これを読まないとても語れない気がする。

今回はその「全体主義の起源3」の中から、ヒトラーとスターリンが権力を握って行く過程で用いた政治手法の一つについて書いておきたい。それは政策やスローガンを語る時の「政治的語法」なのだが、最近の日本の政治を見ていると、(もちろん政治体制は違うにしても)何やら似かよっていて不気味な感じがするからである。

▼揺るぎない断言、見せかけの態度。本質隠しの「言い換え」

かつてヒトラーのナチスは「勝利か破滅か」というスローガンによって、一民族全体を戦争に引きずり込むことが可能だと言うことを立証した。アーレントは、その成功が(大衆を掴む)指導者の「魅力」などではなく、別の所にあったと言う。それは、「この男が自分自身に寄せていたファナティック(狂信的)な信頼」であり、意見を揺るぎない確信に満ちた声で語ることであり、そして、常に一つの包括的世界観(陰謀論による反ユダヤ主義やアーリア人種賛美など)の中にぴったりと収まる意見だったことである。それを「氷のような首尾一貫性」で続けたことだった。

一方で、運動が過激さを増して行ったときには、ヒトラーは運動内部においては常に最も過激でありながら、外部に対しては自分だけは別で、尊敬すべきナイーブな共感者のふりをすることができた。スターリンも同様で、外部に対しては中間派の役割を演じていたという。こうした見せかけは、彼らにとって(どうせ反古にするのだから)何の束縛にもならなかった。ナチス台頭の初期、ドイツ社会や外国はそれに騙されて、全体主義の恐ろしいシステムを見ぬけなかったのである。

揺るぎない確信のもとに一つのメッセージを繰り返し断言する。一方で、外部に向かってはソフトで物分かりの良い指導者として振舞う。この二つの顔を持ちながら、決して達成できない世界征服や世界革命の野望に取りつかれ、その運動を持続するためにユダヤ人や少数民族の絶滅と言った恐ろしい狂気に人々を駆り立てて行った。その間、様々な政策やスローガンが作られたが、それらはどれも内実を隠すような〝用語法〟に基づいていた。

その極め付きが、ユダヤ人問題の「最終的解決」という政策だった。「解決」と言いながら、その本質は支配下のユダヤ人の大量殺戮であり絶滅作戦だった。アーレントは、このようなナチスの用語法が、出来事(本質)からの心理的距離と犯罪のスムーズな遂行を可能にした、と指摘する。つまり、ナチスの幹部だけでなく、実際にユダヤ人を大量にガス室に送りこむ役人たちさえも、自分がやっていることの本質から心理的に目を背けることに役立ったのである。

▼安倍政権の政策の「言い換え」

政策の本質を隠す「言い換え」は、戦前の日本でも横行した。アジア侵略に踏み切るのに「五族協和」、「八紘一宇」、「大東亜共栄圏」などの耳触りのいい言葉が使われた。それから70年。その目で見ると、政策を耳触りのいい言葉に言い換える用語法は、最近になって至る所で復活しつつあるように思う。例えば、以前は「武器輸出三原則」と言っていた法律である。これを、武器輸出を緩めてより拡大するのに際して、法律の名称を「防衛装備移転三原則」に変えた。

「武器」を「防衛装備」に換えても、「輸出」を「移転」に言い換えても本質は同じなのに、何か後ろめたい気持ちがあるのだろう。それで国民を騙せると思っているところが、最近の政治の幼稚さであり、うさん臭さだ。あるいは、原発の「規制基準」を、首相が「世界一厳しい〝安全基準〟」などと意図的に言い換えて原発輸出に力を入れるのも「本質隠しの心理」が働いているに違いない。同様に、首相が多用する「積極的平和主義」なども、似たような心理が働いているのだろう。

この字面だけ見れば、積極的に世界の平和構築に貢献する政策のように見えるが、内実は日米軍事同盟の一層の強化であり、自衛隊がアメリカ軍の補完勢力となって紛争への軍事介入にこれまで以上に関与するということである。その一連の具体化が先の日米ガイドラインの改定であり、安保法制なのだが、今回、安倍政権がつけた名称(「平和安全法制」)がまた本質隠しがミエミエ。またその中の一つ、戦争中の他国軍を自衛隊が後方支援するのが「国際平和支援法」だ。幾ら平和と名付けても、実体は戦争や武力行使と変わらない。

これらを「戦争法案」と呼んだ野党に自民党は強硬に抗議したが、戦争の現実を直視せずに、そうした〝見せかけ〟の言い換えにこだわる所に、彼らの危うい心理を見てしまう。それが「(この法案によって)自衛隊のリスクは増大しない」などという空疎な答弁を繰り返させる心理なのだと思う。そんな言い換えで現実を直視せず、自分を安心させながら、国民をも騙せると思い込んでいる所が稚拙であり政治の堕落で、却って危険に思えるのである。

▼政治が信を失う時。その言葉、信じられるか

一方、ここへ来て首相は国会で、「(日本が)ポツダム宣言を受諾し、降伏したこと」を認め、「東京裁判についても、異議を唱える立場にない」と答弁し始めた。ポツダム宣言の6項目目は、日本の軍国主義者に対して「国民を欺いて世界征服の挙に出た過誤を犯させた者たちを永久に除去する」としているが、彼らの戦争責任についても、同じ答弁で安倍は「そうした結果を生み出した日本人の政治指導者には、それぞれ多く

の責任があるのは当然」とも答えている。

これは、「ポツダム宣言を詳しくは読んでいない」と言ってはぐらかした先日の答弁を修正したものだが、以前に、東京裁判(従ってA級戦犯の裁判)について疑義を呈していた言説とは矛盾するものである。どちらが本音かと言えば、本心は、彼の思想的母胎である「日本会議」の思想(連合国による東京裁判の否定、自存自衛とかアジアの植民地解放という理由での太平洋戦争の肯定など)に近いのだろう。今は状況を見て穏健的に言っておいて、時が来れば本心に帰るつもりかもしれないが、政治家の二枚舌と言われても仕方がない。

問題は、このように政治家や追随する官僚の言説が本質隠しの言い換えや、二枚舌になって行く時の危うさである。私は最近の右寄りの政治状況をみた時に、日本が戦前のような国家主義的傾向に先祖がえりする可能性には十分注意を払うべきだと思うが、まさかヒトラーやスターリンのような異質な全体主義に日本が踏み出すことはないと思いたい。しかし、こうした政治システムが初期には共通の兆候を示すことについては十分警戒しなければならないと思う。

それは、政治に信頼が持てないという危険な社会の兆候である。自分たちの言説に政治家自身が信を置かない、あるいは「言い換え」で自分をごまかす。これを見れば、国民も呆れて政治を信用しなくなる。そうした状況を作っておいて、確信犯的に強固なメッセージを繰り返すのが独裁者の常とう手段。この国会で首相は「この安保法制によって、国民の生命、幸せな暮らしに責任を持つ」と何十回となく繰り返しているが、私たちはその背後にあるものを注意深く観察し、見誤ることがあってはならないと思う。

（２０１５年６月11日）

権力、メディア、国民のあるべき関係

去年（2015年）のNHK「クローズアップ現代」の〝過剰な演出問題〟（＊1）に対する呼び出しや厳重注意などの行政指導、あるいは政権に批判的とされるキャスターたちの相次ぐ降板など。安倍政権の露骨なメディア介入が議論を呼ぶ中、今度は高市早苗（総務相）がテレビ局への「電波停止の可能性」に言及した国会答弁が波紋を呼んでいる。政府に批判的な番組を念頭に、「政治的に公平であること」を定めた放送法（4条）を恣意的に運用すれば業務停止（放送法174条）や電波停止（電波法76条）もあり得るのではないかという民主党の質問に対し、高市が「放送事業者が極端なことをして、行政指導をしても全く改善されない場合に、何も対応しないということは約束できない」と答弁したわけである。

この「テレビ電波停止発言」については、その後も、憲法学者たちによる「放送法4条を根拠に処分を行うことは憲法違反に当たる」という見解（3／2）や、テレビで活動するジャーナリストたちの「私たちは怒っている」声明（2／29）などの波紋が続いている。そこで今回は少し論点を広げて、憲法に保障された「表現の自由」を守って行くために必要な、〝成熟したメディア環境〟について書いてみたい。メディアを取り巻く環境において、「権力」―「メディア」―「国民」の三者の関係がどうあるべきなのか、どうあることが健全なのか、である。

▼敵だから潰すわけにいかねのだ

まず、最近見たテレビ番組で、メディアと権力の関係について特に印象に残った話があったのでそれから始めたい。1月31日、たまたまBSTBSの「関口宏の人生の詩」というインタビュー番組を見ていたら、今

年101歳になったジャーナリストの武野武治《むのたけじ》が出演していた。彼は戦前に記者として朝日新聞にいて戦意高揚の記事を書いた責任を感じて退社。1948年にふるさと秋田県横手市で「たいまつ」という週刊新聞をはじめた。その彼がしばらくして、それまでの言論活動をまとめた「たいまつ16年」という本を出版した時のことである。

横手市の地元有力者たちが集まって出版祝賀会を開いてくれるという。それは、日頃厳しく批判して来た対抗勢力の市長や市議会のメンバーたちだった。いぶかしく思いながら会場に行ってその訳を尋ねて見ると、「〝たいまつ〟はおらだちの敵だ。敵だから潰すわげにいかねのだ」と言う。敵だからこそ学ばなければならない、潰すわけにはいかない、という考えだった。価値観や利害を同じくする者たちだけで政治をしていると間違うこともある。その間違いに気づかせてくれる意味で、耳の痛い意見に耳を傾けることは必要だ、それも厳しい批判であればあるほど。そういう考えだったのだろう。

▼メディアの批判を封じる国の未来は危うい

この話は、戦後民主主義の理念が息づいていた時代を感じさせる。同時に、人々がメディアに寄せていた信頼や敬意というものまで感じさせる。今はどうか知らないけれど、かつてのアメリカなどでもそうだった。メディアの地位はかなり高く、私が30代半ば（1980年ごろ）に欧米先進国を取材して歩いた数少ない経験でも、政府や民間の様々な機関がよくここまでと思うくらい取材の要求に応じてくれたものである。一般の人々の反応もそうだった。行く先々でメディアが信頼され、場合によっては尊敬されているようにさえ感じた。それはアメリカで言えば、ベトナム戦争が終わって5年頃のことである。

そのベトナム戦争（1964～1975）は、戦争の後半にジャーナリズムが健全に機能したことによって、ようやく終わることが出来た戦争だった。アメリカ軍は「戦争で負けたのではなく、テレビ(お茶の間)に負けた」と悔しがったが、戦争の泥沼から国民を救ったのはある意味でジャーナリズムの力だった。「ジャーナリズムを鍛えた戦争」とも言われたベトナム戦争は、ウォルター・クロンカイト(1916~2009)やデイビッド・ハルバースタム(1934~2007)のような多くの名物記者を生んだが、私がアメリカで取材したのも、そんな記憶がまだ残っていた時代。政治家にも国民の間にも「メディアの批判を封じる国家の未来は危うい」という共通認識が出来ていたのだと思う。

▼「権力―メディア―国民」の理想的な関係

しかしその後のアメリカ軍は、ベトナム戦争の反省からメディアコントロールを綿密に研究して、湾岸戦争とイラク戦争を戦うことになる。戦場における代表取材と事前検閲、同行取材といったメディア操作の方法論を磨き、自分たちに都合のいいように世論の誘導を図った。ブッシュ大統領もテロとの戦いを掲げて愛国心を煽り、イラクとの開戦時にアメリカのメディアは殆ど開戦一色に染まった。しかし、その結果はご存知の通りで、アメリカは大義なきイラク戦争で世界の信用を失い、深刻な荒廃をもたらすことになる(NHK「世界潮流2003、イラク戦争とジャーナリズム」2003年9月14日)。

まさに「メディアの批判を封じる国家の未来は危うい」を地で行く結果となったわけだが、こうしたメディア抑圧やメディア操作は、戦争時に限らない。戦争報道は日常報道の延長線上にあるからだ。それはイラク戦争時のアメリカに限らず、戦前の日本やドイツ、現在の中国やロシア、北朝鮮も同じ。国家権力がメディアの批判を封じこんで保身に走り、為政者の価値観を国民に押し付けるような国はやがて大きな過ちを犯す。そんな国の未来は危うい。

そうした国家の過ちを避けるためには、『権力はメディアによる多様な批判を容認する度量と自制心を持ち、メディアは自己を厳しく律しながらに国民のためと信じる報道を行い、国民は多様なメディア報道を読み解く力(メディアリテラシー)を持つ』ことが必要になる。これこそが、成熟した民主主義社会のメディア環境と言える。しかし、実際の所はなかなかそう行かずに、メディア自身もあれやこれやと間違いを起こす。だからこそメディアを巡る法制度や監視制度もあるわけだが、その制度と運用において日本は胸を張れるだろうか。

▼日本の憂えるべきメディア環境

放送法4条2項の「政治的公平」を誰が判断するかについて、高市は「総務大臣である私が責任を持って判断する」などと言っているが、靖国参拝の常連で、日中戦争を「セキュリティー(自衛のため)の戦争で侵略でない」と公言するような国粋保守の高市が政治的公正を判断する資格があるのか甚だ疑問だ。それも恫喝まがいに「一つ一つの番組を見ながら判断する」などと答弁し続けているのは、メディア先進国ではあり得ない状況である。

こうした日本に比べて、欧米先進国の放送監視制度はさすがに整っている。アメリカ(連邦通信委員会：FCC)、イギリス(放送通信庁：オフコム)では政府から独立した監視機関が設けられているし、ドイツでも各州で州政府から独立した機関がメディア監視に当たっている(2／22、毎日)。こうした国々では、(色々問題は抱えているにしても)権力―メディア ― 国民の間に「メディアの批判を封じる国家の未来は危うい」という基本的な考えが共有されているからだろう。また、それがどの程度共有されているかでメディア環境の成熟度も決まって来るのだと思う。

日本は、先の戦争の反省を踏まえて憲法21条(表現の自由)とそれに準ずる放送法を作ったのだが、国は段階的にメディアに対する締め付けをきつくして来た。そして、最近は政府による〝行政指導〟が頻発するという情けない状況にある。山田健太(専修大教授)によると、こうした変化は、様々なメディアの不祥事に乗じて、政府が世論の後押しを受ける形で進めた側面もあるという。だからこそテレビ局は自律的な倫理規範を儲けて放送事業を行っているのだが、日本の場合には制度の不備に加えて、政治の介入を招きやすい憂慮すべきメディア環境がある。

その一つが、メディアによるメディアに対する攻撃だ。いまや社会の主流になりつつある右派メディアが、一方のメディアを「反日」だの「売国奴」などと攻撃する。去年11月に読売、産経が載せた全面広告(「放送法遵守を求める視聴者の会」)のように、右派の学者、ジャーナリストによるテレビキャスター(岸井成格)への攻撃(＊2)などもその一例だ。こうしたメディア環境は、虎視眈々とメディア介入のチャンスを狙っている権力に、つけ入る隙を与えることになる。

当の岸井はその広告について「低俗だし、品性どころか知性のかけらもない。恥ずかしくないのか」と答えたが(2／29の会見)、当然だと思う。メディア同士が意見を戦わせることはあって当然だが、言論の抹殺につながるレッテル貼りや脅迫を行うことには抑制的でなければならない筈だ。成熟したメディア環境を作って行くためにも、権力(政治)もメディアも国民も「メディアの批判を封じる国家の未来は危うい」と「敵だから潰すわけにいかねのだ」という言葉の重みを、今一度噛みしめてもらいたいと思う。

(2016年3月5日)

(＊1) 同番組「追跡〝出家詐欺〟～狙われる宗教法人～」の中で、裏付けのはっきりしないインタビューを使った問題
(＊2) 2015年9月、「安保法案は憲法違反であり、メディアとしても廃案に向けて声をずっと上げ続けるべき」と番組内で言った岸井TBSキャスターについて偏向報道だとした意見広告

分断する政治とメディア

今月の「世界」(岩波、8月号)に、世界のジャーナリスト400人と共同して「パナマ文書」を暴いた「国際調査報道ジャーナリスト連合(ＩＣＩＪ)」の生みの親、チャールズ・ルイスと国谷裕子の対談がある。その中になるほどと思う言葉が載っていたので、紹介しておきたい。ルイスは、アメリカをはじめとする国々ではネット広告の伸びによって既存メディアが苦境に立たされ、次々とジャーナリストが職を失う状況が続いていると言う。その中で消えていくのは、時間をかけた調査報道であり、権力を監視するウォッチ・ドッグの機能である。その結果、市民は本当の情報にアクセスできなくなる。そういう状況を氏は次のような言葉で表現している。

「情報を持たない市民は滅びます。もし情報とメディアが制限されたなら、民衆は暗闇の中にいるのと同じです。何が起きているのかを知ることもできず、何が真実であるかを語れるのは政府だけです」。そうすると政府は市民を意のままに操るようになる。「市民は簡単にだまされます。政治家はキノコ農家がキノコを育てるように民衆を見ることがあります。暗闇に置き、肥料で覆うのです」。なるほど、ジャーナリズムの衰退によって真実の情報が伝えられなくなると、私たち市民は暗闇の中に置かれたキノコのようになるのか。ルイス氏は、既存のメディアで調査報道が難しくなったアメリカで、非営利による調査報道の可能性を追求している。

▼自民党が調査した、高校教育の「密告サイト」

翻って日本はどうか。そのことを考える前に最近話題になったある出来事を書いておきたい。参院選挙で

18歳からの投票が可能になるというので、高校生達に政治参加の重要性をどう伝えていくかが課題になった。それに乗じて6月末に、自民党の文部科学部会(部会長・木原稔衆院議員)が、党のホームページを使って、「政治的に中立でない」と思うような授業をした教員の指導や授業があれば、その学校や教員の実名をHPのサイトへ送信させる調査を始めたのである。「政治的に中立でない」の例としては、「教育の政治的中立はあり得ない」と言ったり、「子供たちを戦場に送るな」と教えたりすることがあげられていた。

こうした調査に対して、ネット上で「密告社会の到来か」といった批判が相次ぎ、7月9日には共同通信もそうした反響を伝えた。自民党は高校の教育が特定のイデオロギーに染まるのを危惧したのだと言い訳したが、批判をかわすためか、HP上の文言は2回にわたって「政治的に中立でない」の例を書き換えた。1回目は、「子供たちを戦場に送るな」を削除し、「安保関連法は廃止すべき」と教えることを例にあげたが、それも削除。最後には「教育の政治的中立はあり得ない」という文言だけになったという。

何だか笑い話のようだが、彼らは本気である。7月18日には「事例が集まった」として「密告サイト」を終了したが、党の部会で内容を精査し、場合によっては文部科学省に対応を促す、としている。この調査を始めた自民党文部科学部会の木原稔は、47歳の若手議員で自民党の青年局長。2015年に安倍親衛隊の若手議員を集めて党の「文化芸術懇話会」を立ち上げたが、その第一回会合で作家の百田尚樹をはじめとする面々が「政府に逆らうメディアはつぶせ」と言ったトンデモ発言をし、それをすっぱ抜かれて問題になった。その時に党本部から謹慎処分を受けた議員である。

彼らにとっては、「子供たちを戦場に送るな」や「安保関連法は廃止すべき」は、イデオロギーに染まった考えということになるが、もちろんこれは教育基本法にも許された批判精神育成の範囲内にある。教育関連法に詳しい伊藤真弁護士は、「民主社会の主権者に最も必要なのは、自分たちが選んだ代表者(権力)に迎合せず、監視し続けて批判できる能力であり、これを身につけさせるのが教育現場のつとめだ」と言っている(毎日、7／28)。木原たちのように、自分たちに反対する人間をイデオロギー的に偏向した人間と決めつけ、様々な方法であぶり出し、現場から閉め出そうとする動きは、今、確実に広がっている。

▼メディアを敵／味方に分ける

「まるで戦前の思想統制」と毎日が報じたこの調査は、最初に共同が取り上げた後、幾つかの新聞が後追いした。しかし、果たして他のメディアは追求したのだろうか。今のNHKが、(自民党の神経を逆なでするような)この手のニュースを取り上げることはまず考えられないが、他のメディアも似たり寄ったりで、ネットで検索しても、どうも大方はスルーしたらしい。「世界8月号」には、もう一つの対談記事「なぜ日本で調査報道は成熟しないのか」があるが、その中でマーティン・ファクラー(元ニューヨーク・タイムズ東京支局長)は、「報道の自由度ランキング」が世界で72位に低下した日本のメディア状況について、次のように言っている。

「(メディアは)本来は、権力の中に取り込まれているか、圏外にいるかのどちらかではなく、その間に立って監視することが大事なのです」。しかし、「日本のメディアの弱いところは、政権にアクセスして(政権から)情報を得ることが基本になっているところです」と言う。権力と圏外の中間にいてこそ、調査報道も可能になるのだが、記者クラブ制度などにどっぷり浸かっている日本ではそれが出来にくい。そして「安倍政権は、日本のメディアのそうした特徴をよくとらえて、好意的な媒体には単独インタビューに応じるなど、敵／味方のような形でメディアを分断している」と言う。

▼国民を分断する政治。対するメディアは？

安倍政権によるメディアの分断策に乗せられたのか、日本のメディアは今や完全に二極に分かれていると言っていい。そして、思想的に安倍政権に近い雑誌や新聞は、自分たちの主張に沿わないメディアを何かと言えば、「反日」、「売国奴」、「国賊」と言いつのり、息の根まで止めようとまでしている。しかしこれは、批判的なメディアの力を削ぎたいと思っている権力を喜ばせるだけである。そして結局は、メディア全体の力を衰えさせ、私たち市民を「暗闇の中のキノコ」にしてしまう。右から左まで幅広い言論があることには賛成だし、もちろん相互批判があってもいいが、権力の分断策に乗せられ、分断に手を貸す形になるのはいただけない。

「政治による分断」はメディアに限ったことではない。現政権が取り組む様々な政治的課題、例えば、特定秘密保護法から安保関連法に至る安全保障の問題、原発の再稼働問題、アベノミクスの経済政策、近隣外交、そして憲法改正問題など。これらは、それぞれ国内、国外の状況を見渡した様々な政治的・経済的条件の中で国民にとって「ベストな解」を見つけていく問題であり、イデオロギーで解決する問題ではないはずだ。それを、イデオロギー化し、敵／味方で仕分けて分断し、議論を単純化してしまうのはかえって危険でしかない。

アメリカのトランプも、プーチンも習近平もそうだが、国民を操ろうとする権力者は、目の前に政治的難問が持ち上がると、すぐにそれをイデオロギー化し、批判勢力にレッテルを貼って、相手の息の根を止めようとする。その技術の一つが、敵／味方で国民を仕分ける分断策ではないか。安倍政権も登場以来、これまでの政権には見られないような強引さで、敢えて国論を二分するようなテーマを進めてきた。その過程で現れて来たのは、２つに分断された国民の姿である。異なる利害の衝突を調整するのが、政治の本来の姿（＊１）

とすれば、これは随分と「異形な政治」と言える。
安倍政権の登場以来、3年8ヶ月。気がつくと、「密告サイト」だけでなく、今やさらに重大な特定秘密保護法による監視と隠蔽も始まっているし、中国や北朝鮮の出方次第では、安保関連法の発動もあり得る状況になっている。こうした「異形な政治」で日本の何が変わって来たのか。さらなる任期延長も囁かれている今、私たちは、この状況に慣れることなく、政権誕生以来の変化を問い続ける必要がある。そして、国民が「暗闇のキノコ」にならないように、メディアには政権の分断政策に乗ることなく、ぎりぎりのところで真実の報道を模索して行って欲しいと思う。

（2016年8月7日）

（＊1）例えば、「私は、政治とは個人や集団や国家間に生じる利害の衝突を調整することであると考えている。この調整を的確に行って紛争を解決に導き、新しい方向に踏み出させることが政治そのものなのではあるまいか」（「政治とは何か」後藤田正晴）

「脱真実」とメディアの危機

トランプ次期大統領は、何かあると記者会見よりツイッターで発言したがる異例の大統領になりそうだが、選挙期間中の発言に関しては、政治家やメディアの発信内容をチェックするサイト『ポリティファクト(PolitiFact)』の評価において、「ほとんど事実と異なる」「事実と異なる」「至急訂正が必要」などが79％を占めたという。「私はイラク戦争に反対だった(賛成していた)」、「この国はゼロ成長だ。成長していない(ゼロ成長ではない)」、「シリアから数万の人々がアメリカに来ている(実際は1500人以下)」、「アメリカの実質的な失業率が42％(こんなに高くない)」、「ロシアのプーチンが自分を天才だと言っている(言っていない)」

などなど。

9月26日に行われたクリントンとの公開討論でも「女性の妊娠が会社にとって迷惑とは言っていない(言っていた)」、「〝地球温暖化は中国人が作った作り話だ〟などとは言っていない(言っていた)」など34の虚偽に近い発言をしていることが指摘されている。こうした放言、発信に関してメディアもクリントン陣営も、事実をチェックする「Factchecker」を設けて反論・指摘したが力及ばず、結局の所、国民はトランプを選んだ。クリントンもセキュリティーの不十分なメールを使用していた問題やウォール街から(3回で)7600万円の高額な講演料を貰っていたことなどもあり、信頼度に関しては両者とも同じようなものだったのである。

こうした数々の嘘にもかかわらず国民がトランプを大統領に選んだ現象に関して、オックスフォード英語辞典が今年の流行語に「Post-truth(脱真実)」という言葉を選んだのは象徴的だった。「Post-truth」とは、真実がさして重要ではないことを言うが、いまや政治の場において、「何が真実か」は大きな力を持ち得ず、有権者の心により気持ち良く響く言葉の方が力を持つ政治状況が生まれている。これを「Post-truth politics」(脱真実政治)というが、世界的に見ても大衆迎合政治(ポピュリズム)と相まって、危険な潮流の一つになりつつある。それはまた、事実報道を基本に据えるジャーナリズムにとっても深刻な危機といえる。私たちは、この「脱真実政治」の時代とどう向き合ったらいいのだろうか。

▼Factcheckの限界。SNS時代に事実は力を持つか

今回の大統領選挙では、SNS時代を反映して膨大な情報がネット上に溢れたが、その中でも「フェイク(にせ)ニュース」という虚偽のニュースが市民の間に拡散した。「ローマ法王がトランプ氏を推薦した」、「クリントンはトランプが勝った場合、内戦を求めている」、「オバマはイスラム教徒のテロリストために資金洗

浄している」といった内容で、トランプ自身も「(幾つかの州では)深刻な不正投票が行われている」、「違法投票を除けば、私は総得票数でも勝利した」といった、トンデモ情報を発信している。こうした偽情報に対してメディアが振り回され、アメリカは何が真実で何が嘘か分からない状況に陥った。こういうときには必ず、「地球温暖化は、アメリカの競争力を弱めるために中国がでっち上げたデマだ(トランプ)」といった〝陰謀論〟が幅をきかす。

ワシントンポストなどは、トランプの発言を検証する「Factcheck」を行ったが、国民の信頼を得ることは出来なかった。特に、トランプ支持の市民からは、クリントンに肩入れする既存メディアの批判は、トランプを落とそうとするバイアスのかかった情報としか見なされなかった。アメリカには「ポリティファクト」のように、政治家の言動やマスメディアの報道をチェックするFactcheckサイトが沢山出来ているが、そうしたサイトからも、既存のメディアは攻撃の対象にされた。新聞が一方の陣営に肩入れするのと同じように、多くのFactcheckサイト自身もどちらかの陣営の肩を持っていたからである。

政治が二極化するなかで、Factcheckサイトもメディアも二つに分断され、お互いに揚げ足を取り合い、自分たちに都合のいい情報だけを取り上げる。その中では何が真実かと言うより、より自分たちに都合のいい情報だけが意味を持ってくる。これが「Post truth(脱真実)」時代の実態。メディアの監視機能が用をなさず、大衆はメディアを信用せず、ネット上のフェイクニュースに踊らされる。それは結局の所、トランプのようなデマゴーグ(大衆扇動家)の登場を許すことになる。まさに事実報道に重きを置いてきたメディアの存立基盤を揺るがす由々しき事態だが、振り返って見るとここに至るまでに、既存メディアの方にも様々な問題があった。

▼既存メディアが抱える問題

最大の問題は、ネットの進展で新聞が経営的に苦しくなり、多くの記者が現場を離れざるを得なかったことである。特に、地方新聞などは記者が足りない状況が続いている。これに伴って記事が地方の実情を踏まえない、上から目線の建前的なものになり、決まり文句の自由、平等、差別反対といった抽象的、観念的、理念的なところからのトランプ批判に流れた。これでは、口ではアメリカ的建前のきれい事を言いながら、裏で強欲な資本主義と結託しているクリントンなどの既成勢力(エスタブリッシュメント)と違わない。既成メディアの報道は、現実に格差や失業に苦しむ没落白人層の心には一向に届かなかった。

現場の現実を見ない報道。人々の〝心のひだ〟まで取材しない記事。それが今回の既成メディアの大きな落とし穴だった。もう一つの危機は、メディアがはっきりと保守とリベラルに二極化し、それぞれ建前的な報道を繰り返し、それが国民からはバイアスのかかった記事と見なされたことだった。イラク戦争以来、ワシントンポスト、NYタイムズなども政府の好戦的な戦争の広報の道具に成り下がり、歪曲報道が多くなったと言う指摘もあり、メディアは国民からの信頼を失っていた。既存メディアの多くは今回の選挙で初めて、こうした「進行する現実」に気づかされたのではないか。

▼事実の先にある真実を、力のある言葉で

政治家の発言が事実かどうかが、さして重きをなさない「脱真実政治」の時代。同様のことは、ジャーナリズムが抑圧され、様々なプロパンダや陰謀論に国民が踊らされた過去のドイツや日本にもあったが、現在の状況は既存メディアの信頼低下と同時に進行するSNSの普及によって、より複雑で深刻な様相を見せている。何が事実で何が嘘か、膨大な情報が溢れる中で、私たちは混迷の中にいる。一方で、アメリカのFactcheck

をまねて、日本でも朝日新聞などが安倍首相の発言や党首討論などに対するファクトチェックを始めている。

選挙演説で「安保法制について必ず説明した(全部ではない)」、「自民党議員には二重国籍はいないと認識している(実際にはいる)」、「結党以来、強行採決しようと考えたことはない(よく言うよ)」、「南スーダンは永田町と比べればはるかに危険(永田町と比べてどうする)」といった感じだが、こうしたファクトチェックも、メディアが安倍政権寄りと批判的なメディアとに二極化している日本で、どれくらい生きてくるか。こうしたファクトチェックは、安倍政権に批判的な国民には喜ばれるだろうが、そうでない人々の心を掴むことが出来るだろうか。

むしろ、今のジャーナリズムに必要なのは、国民大多数に響く言葉をどう探すかではないか。それは事実の羅列だけでは生まれないだろう。事実の向こうにある真実を探しだし、言葉にする。その作業に脳髄を絞らなければ、政治家の甘い言葉やウソを覆すことは出来ない。これは、ジャーナリズムと同様に政治の世界でも同じ。ただ立憲主義を守れとか、平和憲法死守とか、強行採決反対とか決まり文句のように言っているだけでは、国民の心に響かない時代が既にやってきていることを肝に銘じる必要がある。

かつてメディアが目指す「言葉の力」について、『(ジャーナリズムが発する言葉は)政治がプロパガンダ、アジテーション、ポピュリズム、偏狭なナショナリズムの言葉を発し始めたとき、それを押しとどめる力をもたなければならない。また、その力は、時代認識、状況認識の的確さ、取るべきスタンスと目指す方向性の正しさ、そして明確な表現を源泉としなければならない』と書いたことがあるが、これは今の「脱真実」の時代にこそ大事なのではないか。ファクトチェックも大事だが、メディアには様々な事実の奥にある〝真実〟をこそつかみ取って伝えて欲しいと思う。

(2016年12月10日)

テロ対策から逸脱する共謀罪

いよいよ問題のテロ等準備罪(共謀罪)が4月19日から、衆院法務委員会で実質審議に入った。政府が会期の6月18日までに成立を期している、この共謀罪の正式な罪名は「テロリズム集団その他の組織犯罪集団による実行準備行為を伴う重大犯罪遂行の計画」という長い名前だが、法案そのものは、その罪を問うことを可能にする「組織犯罪処罰法改正案」である。テロ対策を前面に出してはいるが、「等」や「その他」をつけることで、テロ組織だけでなく(警察が認定する)幅広い「組織的犯罪集団」を取り締まることができるようになっている。

この法案の「2人以上で具体的現実的な犯罪計画を作り、計画に基づいた準備行為があった時点で犯罪に問う」と言う考え方が、以前から議論を呼んでいる(計画段階で罪に問う)共謀罪と同じではないかと、指摘されている。政府は、今回は準備行為まで含めるのだから従来の共謀罪とは違うと主張するが、準備行為の定義が曖昧なため、この法律の問題性は変わらないように見える。

ただし、この法律改正は国連の「国際組織犯罪防止条約(パレルモ条約)」を日本が批准するためと言うだけに、考え方が難しい。日本の法体系になじまない部分も多く、しかも問題が多岐にわたっているので、素人が理解するのには骨が折れる。政府の方は、これはテロ対策が主眼だとし、「(この法律を成立させて)条約を締結できなければ、東京オリンピックを開けないと言っても過言ではない」(首相)などと大げさに言う。一方の野党は「計画しただけで罪に問うというのは、戦前の悪名高き治安維持法に通じる」、「共謀罪は監視国家につながる」と声高に批判する。

このように、法案を巡る議論は政府・野党ともに「イメージ戦争(印象操作)」が先行して、何が問題の本質なのかよく分からない。最近の世論調査(朝日4/16)でも、賛成(35%)と反対(33%)が拮抗しているが、法案のどこがどのように問題なのか、国民は十分わかっているのだろうか。この法案の多岐にわたる問題点を一回のコラムで整理できるかどうか悩むところだが、取りあえずいろいろ調べて理解した範囲で、この法案の問題点を整理してみたい。

▼共謀罪の多岐にわたる問題点

「国際組織犯罪防止条約」は、元々、マフィアなどの犯罪集団の取り締まりに関する国際的な協力を目的として国連で採択された条約だ。これに加盟すると、国際組織犯罪の犯人引き渡しや捜査情報の共有などが可能になる。これには国際的なテロ集団も含まれるとし、早く条約批准に必要な国内法の整備を行いたいというのが、政府の主張である。そこで問題になるのは、条約が求めている条件と政府が作った法案の内容である。その問題点を幾つかに整理する。

①　共謀罪は日本の法体系になじまない。整合性は説明できるか

これまで、日本の刑法で罪に問われるのは、犯罪を実行し結果が生じた「既遂」が原則。付随して結果には至らなかった「未遂」もあるが、基本的には「社会に有害な結果を生じる行為がなければ処罰されない」というのが、近代刑法(日本の刑法も)の原則である。ただし、日本には例外的に特定の重罪には準備をした段階で罪に問う「予備罪」(例えば殺人予備罪)、通貨偽造の準備をする「準備罪」、内乱罪など国の存立に関わる重罪については「陰謀罪」といった罪もある。

従って、今回のように計画した(考えた)だけで罪に問う共謀罪は、近代刑法の基本原則になじまないわけだが、これを従来の例外的な予備罪、準備罪、陰謀罪の対象をはるかに超えて、幅広い分野に適用する

ことの問題も大きい。その整合性をどう説明するのか、あの頼りない金田法相に十分説明できるのかなども言われている。またこうした共謀罪は、思想および良心の自由(内心の自由)を保障した憲法19条に抵触するという指摘もある。

②　適用範囲が広すぎて意味不明

パレルモ条約を締結するためには、幾つかの国内法の整備が必要とされるが、その中では「重大な犯罪」(懲役、禁固4年以上の罪)にたいして、犯罪の合意や合意内容を推進する行為を伴うことを罪に問う「共謀罪的な措置」をとることが求められている。これが今回の法案の出発点なのだが、懲役、禁固4年以上の罪を機械的に国内法に当てはめると、676件にも上る。この全部に共謀罪の網をかぶせるのは問題だというので過去には廃案になったのだが、今回はこれを277件にまで絞って提出した。

しかし、この277件の中には、モーターボート競走法とか森林法(保安林内での森林窃盗など)、無資格スポーツ振興投票などといった、説明がつかないものが多く含まれている。政府が言うようにこの法案が真にテロ対策というなら、これらとどう関係するのか。条約批准を理由に、何でもかんでも共謀罪的な監視の目を行き渡らせたいというのが真の狙いでは、と疑われても仕方がない

③　曖昧な定義は権力の道具となって、際限のない監視社会を作りだす

政府は、今回の法案は計画だけではなく、その準備行為も要件なのだから、共謀罪には当たらない、と主張する。しかし、その準備行為というのが曖昧だ。「銀行でカネを下ろす、レンタカーを借りること」などを上げるが、こんなことは日常生活に良くある行為で、これが犯罪に関わると認定されれば逮捕される。つまり、捜査当局が「計画したな」と考えれば、どんな日常的行為も準備行為と見なされる危険がある。

また、こうした法律が日常的な監視活動に名分を与えるという指摘も多い。計画や合意は別に書類にす

るわけでもなく、2人以上が集まって何かの話し合いをすれば、合意があったと認定されかねない。しかも、それは、通信や電話の傍受、盗聴にもつながって行く。これを、277件の広い分野で行えば、日本は立派な大量監視国家になってしまう。権力が監視の道具(法律)を手にしたとたん、その乱用は際限なく広がっていくというのが、アメリカのスノーデン事件に見るまでもなく、現代社会でも警戒すべき点なのである。

▼スノーデン事件に見る監視国家の実態。厳密な法案に絞るべき

2016年(日本公開は2017年)にオリバー・ストーン監督によって映画化もされたスノーデン事件は、以前のコラム「暴露・監視国家の奢りと腐敗」(2014年6月22日)でも取り上げた。アメリカの国家安全保障局(NSA)が世界中に監視網を構築して、市民同士の私的なやりとりも含めて、ありとあらゆる情報を集めている事実である。

その根拠となる法律は「米国愛国者法」などだが、それを拡大解釈してNSAは「祖国の安全保障」、「テロとの戦い」の名目で、法律の範囲をはるかに逸脱した大量監視を行っている。それを知った技術者、エドワード・スノーデンによる抗議の〝暴露〟だった。

この事件は、権力が国民監視の名分(法律)を握ると、それは捜査当局によって常に拡大解釈され、監視は際限なく広がっていくという見本のようなものだった。その結果は、コラムにも書いたように「国家の構造を①個人に関する膨大な情報を握っている国家権力、②監視されて萎縮する被支配者(国民)の二極構造に変える」ことになる。今議論になっている共謀罪もそうした拡大解釈の道具にならないという保証はあるのか。テロとの戦いを掲げながら、それとあまり関係のない277件の分野を認めれば、当局による監視活動も際

限なく広がっていきかねない。

従って、もし本当に「テロとの戦い」が主眼と言うなら、277件などを網羅するのではなく、厳密に対象をテロ集団に絞るべきだろう。まして、条約は「各国の国内法の原則に従って法整備すること」を認めているので、これほどの大がかりな立法措置は求めていないという説もある。また、アメリカなどのように、条約の要求すべてに答えるのではなく、留保条件を付けて批准した実績もあるという。

この法案は、安倍政権の懸案だった共謀罪を通したいために、もともとマフィア対策だったものを、無理にテロ対策に衣替えした結果、かえって性格の分からない矛盾だらけの法案になっているとの指摘もある(日弁連など)。オリンピックを控えた今、本当に国際的なテロ活動を防ごうとするなら、テロの定義を明確にすると同時に、罪名から「等」や「その他」を削除し、厳密に対象をテロに絞って出直した方がいいと思う(*1)。

(2017年4月19日)


(*1) 法案は2017年6月17日に強行採決で成立。7月11日から施行され条約も締結された

含羞なき時代に生きる

加計学園の建設計画(*1)について5月21日、愛媛県側が27ページに及ぶ交渉記録を国会に提出した。その中では、これまで安倍首相も柳瀬秘書官も否定してきた、加計学園理事長の加計孝太郎と首相が面会した事実、さらに柳瀬が「これは総理案件」と言った事実が書かれており、加計学園の設置が安倍と加計の〝談合〟だったことが明白になった。一般人の感覚なら、これで認めざるを得ない筈だが、首相側はこの期に及んで

も、当日の「首相動静」に書かれていないのを理由に「面会の事実はない」と突っぱねる考えと言う。

この問題は、これから国会で追及が行われることになるが、安倍はここでも説得力のない「水掛け論」に持ち込もうとするだろう。そうしてまた、だらだらと嘘と言い逃れの答弁を繰り返して行くに違いない。こうした、誰が見ても明らかな嘘を重ねる今の政治を目にして、国民が怒りに震えない現象について、作家の辺見庸は、インタビュー(毎日特集ワイド、5／15)で「社会の方もけしからんという義憤が爆発しないんだよね。フェイク(偽)が常態化したから」と言う。もう「嘘つきは泥棒の始まり」などと非難しても、今の政治家には痛くも痒くもないのだろうか。

▼「顔をみればわかる」

辺見は同じインタビューの中で、人間には顔貌(顔かたち)があるが、「一連のキャリア官僚や政治家には、顔の面白さがない。子どもだって分かる嘘をしれっと言う顔には人間の不可解さも何もない。石のごとき無表情だけ」、「今の安倍は国会で何を言われても平気な顔だね。今は顔が〝表象〟たり得ない時代なんだよ」と言っている。しかし、私には「〝表象〟たり得ない」というのではなく、今の安倍を始めとする政権幹部などども、逆な意味での〝表象〟になっているのではないかと思える。彼らが抱えている欲や業の深さが如実に顔に表れているからだ。

彼らの顔は、抱えている業の深さで最近とみに醜くなっている。悪相の見本と言ってもいいくらいだ。自分の虚構にしがみついて必死に取り繕うむくんだ顔、他人を見下して虚勢を張り、そのせいで口がどんどん曲がってくる顔。また、強面(こわもて)を繕い、無理に不愉快そうな無表情を作る顔。こうした政治家の悪相を、あの人ならどう表現するだろうか、と思わせる本がある。今は亡きシナリオ作家の石堂淑郎(1932

～2011)が書いた「顔を見れば分かる」である。この中で、石堂は政治家やテレビキャスターの顔を一人一人取り上げ、写真につけた短文で軽妙かつ辛辣に表現している。

▼含羞の人

その見だしが絶妙でもある。例えば、安倍の父の安倍晋太郎については「昼行灯(ひるあんどん：ぼんやりして役に立たない)」、橋本龍太郎「どさ回りの二枚目」、金丸信「村の政治家」、宮沢喜一「慇懃無礼」、海部俊樹「恐怖の口先男」などである。その中で、最大級の褒め言葉で書いている2人の政治家がいる。一人は、首相になった途端に心臓病で倒れた非業の政治家、大平正芳。タイトルには「牛」とあるが、本文はベタ褒めだ。

「実に立派な、生まれながらの〝総理面〟の持ち主である。(中略)大平の目は必ずしも大きくはない。しかし、何処を見ているかわからない、といった怪しい気配は全くなく、じっと見つめる相手に君の真心をくれたまえと語りかけているようである」と、短かった首相生命を惜しんでいる。

もう一人は、中曽根時代の官房長官を長く務めた後藤田正晴。「全体に畏怖するに足る雰囲気十分である」と書くごとく、きりっと引き締まった唇をもっているが、一方で、「笑顔がまた格別である。破顔して一笑すればたちまち恥ずかしげな童子に戻る。この落差がなんともいえずよろしい」。後藤田と言えば、湾岸戦争時、自衛隊の海外派遣に前のめりになる中曽根に対して、先の戦争の反省を踏まえて反対を貫いた官房長官だった。そして、石堂がこの人への短文につけたタイトルが「含羞(がんしゅう)の人」である。含羞とは、「はじらい」の意。大人のそれを好ましいと感じる文化が当時の日本にはまだあったのである。

▼テレビキャスターの含羞

悪相がはびこる今の政界では、その「大人の含羞」が見られなくなり、その含羞がどこから来るのかという疑問も持たずにいたが、最近ふと、その言葉に出くわす場面があった。それは、20日の「ザ・サンデーモーニング」(TBS)の中で、5月15日に亡くなったテレビキャスター、岸井成格(しげただ、享年73)の追悼コーナーでのことだった。コメンテーターで出ていた姜尚中(カンサンジュン)が、彼のことを含羞の人と評したからである。岸井は、ご存じのように毎日新聞の主筆であり、テレビでは「ニュース23」のキャスター、「ザ・サンデーモーニング」ではコメンテーターを務めた。

番組では岸井の含羞がどこから来ているかについて、若い頃の反省として水俣病の幼い患者を取材したときに、そのうめき声の中に含まれている真実にもっと真剣に耳を傾けるべきだったという強い思いが残ったことを上げている。これを解釈するに、携わっているキャスターという仕事に常に反省の目を向け、自分の信念を吟味点検していく姿勢が、上から目線や自信過剰の安易な報道と対極にある「含羞」となって現れたのかも知れない。

彼は戦争の歴史的反省から、安倍政権の一連の国家主義的法案(特定秘密保護法、安保関連法案、共謀罪)に対し、反対をし続けることをキャスターとして表明した(これに対し、右派からの反対意見が読売、産経の全面広告に載ったりした)。番組を降板した後に、この意見広告について聞かれた岸井は「低俗だし、品性どころか知性のかけらもない。恥ずかしくないのか」と答えている。

▼キャスターとしての岸井成格

安倍政権のメディア締め付けが厳しくなる中、ここ数年でNHK「クローズアップ現代」の国谷裕子キャスターをはじめとして、良心的なテレビキャスターが次々と番組を降板した。国谷も岸井も、時に政権に耳の痛いことを言っても、決してどちらかに偏った意見の持ち主ではなかったと思う。岸井も言っている通り、文明の岐路にあって常にしっかりした座標軸を持って、的確に分析し判断し言うべきことを言っていく。そのことが大事だと言っているだけである。

２０１６年3月、最後の「ニュース23」で岸井は「今、世界も日本も、歴史的な激動期に入りました。そんな中で、新しい秩序や枠組み作りの模索が続いています。それだけに報道は、変化に敏感であると同時に、極端な見方に偏らないで、世の中の人間の良識や常識を基本とする。そして何よりも真実を伝える。権力を監視する。そういうジャーナリズムの姿勢を貫くことが、ますます重要になっていると感じます」と語ったが、今、この信念と批判精神を持って務めているテレビキャスターはどれだけ残っているだろうか。

▼含羞なき時代に生きる私たち

先のインタビューで辺見庸は、「テレビキャスターがこんなにも薄っぺらなあんちゃん風になった時代ってないんじゃないの。ファシズムの時代って、すべてが子どもっぽくなるんだよ」と名言を吐いている。これは、(どの局のどの番組とはまでは言わないが)私も常々感じていることである。サンデーモーニングの関口宏が今年2月に岸井に会った時、既に言葉が出にくくなっていた岸井は、絞り出すような声で「たるんじゃったな、みんな」と言ったそうだ。含羞なき時代。みんなが「たるんじゃった」時代に私たちは生きている、という自覚もまた必要なのだろう。ご冥福を祈りたい。

(２０１８年5月22日)

(＊1) 首相と親しい関係にある加計学園グループが今治市に獣医学部を新設する計画。文科省は長年獣医学部の新設を認めてこなかったが、２０１７年、安倍内閣の時になって認められた

安倍政治の「失われた8年」

東日本大震災と福島原発事故から9年。今年8年目に入った安倍政権は、その震災後の政治の大部分を担ってきたことになる。この8年、政権は「福島の復興なくして、日本の再生なし」と折に触れて言って来たが、遅々として進まない汚染地域の帰還・復興にしろ、困難に直面している廃炉や汚染水問題にしろ、政治がこれまで目立った指導力を発揮することはなかった。特に福島原発事故の後の世界(西欧)は、原子力から再生可能エネルギーに舵を切っているのに、日本は相変わらず出口のない原発再稼働と核燃料サイクルに固執して、新たな道に踏み出せずにいる。

▼「失われた8年」の間に、先送りにされた政治の重要課題

むしろこの8年、安倍政権でますます目立って来ているのは、先日の新型コロナウイルスでの記者会見の時もそうだったが、官邸の官僚が書いたキャッチフレーズ的な作文を読み上げながら、何かやっている感を演出するという、上滑りの政治である。「三本の矢」、「拉致問題解決」、「1億総活躍」、「女性活躍」、「地方創生」、「人づくり革命」と言った聞こえのいい政策を乱発しながら、支持率と権力維持に腐心する。その上で恣意的な解散によって一強状態を作り、民主主義の根元を腐らす「何でもありの政治」を続けて来た。

公文書を書き換えさせる(森友問題)。公文書を破棄させる(桜を見る会)。政権幹部に近い議員の選挙違反やカジノ汚職に無反応を決め込む。或いは、森友・加計問題を裏から指揮し、関係者を不起訴にして政権に恩を売ったなどと噂された黒川弘努検事長を次期検事総長に昇格させるために、異例の定年延長を図る(＊1)。内閣が吹き飛ぶようなスキャンダルが次々と起きても、一強状態をいいことにまともに答えない。今回の新

型コロナウイルス危機でも、初動の遅れを批判された首相は、突然の全国一斉休校など、慌てて「やっている感」を作って支持率キープに躍起だが、どれだけ科学的根拠に基づいているのだろうか。

こうした「政治の劣化と民主主義の後退」が日常茶飯事になって国民が呆然としている間に、真に取り組むべき重要課題が先送りにされて来た。この8年間(正確には7年8ヶ月)に先延ばしにされた政治の重要課題は、近い将来、安倍政権が終わりを告げた時に、次期政権にとっても、また将来世代にとっても、大きな「負の遺産」になるだろう。それは、いわば「安倍政治の失われた8年」が生んだツケでもある。民主主義の劣化ばかりでなく、こうした課題先送りの政治が次の若い世代にどういう影響をもたらすのか、「失われた8年」の意味を考えて見たい。

▼莫大な借金を積み上げたアベノミクス

安倍政権は「経済再生なくして財政健全化なし」と言いながら、経済成長を図るために、異次元の金融緩和と財政出動の2本立てで何百兆円という金を市場につぎ込んできた。しかし、当初の予定の2年を超えて7年経っても、金融緩和の目標(2%のインフレ率、2%の経済成長)は達成できず、却って莫大な借金(国債発行残高)を積み上げてきた。政権発足時には700兆円ほどだった国の借金は、現時点で1千兆円を超えている。この2年ほどは国の予算も連続して100兆円を超え(2020年度は102・6兆円)、そのうち税収は60兆円強なので、単年度の借金だけでも37兆円になる。

政府は、(借金をこれ以上増やさないために)年度予算の黒字化(財政健全化)を目指してきたが、予定は次々と先延ばしされている。名目成長率3%と誰が見ても実現が困難な数字を前提にしても、黒字化は2027年度だと言う。その一方で、国家予算は無責任な膨張を重ねている。大盤振る舞いで、国の財政は健全化からどんどんかけ離れている。株価の方も、政府関連資金(年金、日銀)を投入して株高を維持するなど、アベノミクスの実体はGDPの200％を超える国の借金などで粉飾されて来たと言っても過言ではない。

このように、辛うじてプラス成長を保っている日本経済も、その内実は異次元の金融緩和と借金による財政出動によって支えられている、見かけ倒しの脆弱なものである。今回の新型コロナショックが、このアベノミクスの脆弱性を直撃した時、日本経済がどうなるのか。これまで国の借金はいくらあっても大丈夫だなどと言っていた人々の理論も、たちまち怪しくなりそうな気配だ。仮に破綻は免れても、安倍政権によって放置されてきた莫大な国の借金は、日本経済の脆弱性として次期政権に引き継がれ、深刻な「負の遺産」になるだろう。

▼原発と石油にこだわって、温暖化対策に乗り遅れる

国民に巨額の負担を強いながら、この8年、適切な政治決断がなかったのが原発問題である。2018年に閣議決定された第5次エネルギー基本計画での原発比率は2030年で20～22％となっているが、現時点での日本の原発比率は僅か2％程度。計画達成のためには、40年超えの老朽原発を含めて30基程度、再稼働する必要があるが、震災後9年経っても再稼働したのは9基に止まる。それもテロ対策の不備を指摘されて、今年中に4基が再び停止に追い込まれる。

計画は誰が見ても「絵に描いた餅」なのに、原子力ムラ(政財官学の利権集団)は原発を諦められずに、毎年巨額の原発維持費と、5・3兆円に上る安全対策費をつぎ込んでいる。そうした費用はすべて国民の負担に上乗せされる。その上、使用済み燃料の再処理工場の完成も見通せず、使用済み燃料の行き場がない。基本計画には、原発ありきの発想から抜け出られない官僚たちの希望的作文が並ぶが、田中俊一(前原子力規制委

員長)でさえ、「原発はいずれ消滅します」と言う「八方塞がり」の状況。政治の無策で原子力は確実に負の遺産になりつつある。

政治が原発にこだわっている間に出遅れたのが、温暖化防止の切り札となる再生可能エネルギーだ。風力発電でも太陽光発電でも、日本は今や技術的に先進国の周回遅れになっていて、風力発電の生産からも撤退を余儀なくされた。現在、日本では石炭火力が33%。それが温暖化防止に前向きな世界から批判にさらされている。昨年12月のCOP25(スペイン)で石炭火力の増設や輸出にこだわる日本は、「化石中毒」とまで言われる始末だった。安倍政権の8年に、従来のエネルギー政策から抜け出られない日本は、ここでも世界から取り残されようとしている。

▼なぜ、重要課題を先送りにするのか

安倍政権によって先送りにされた政治の重要課題はこの他にも、少子化による人口減少、その背景にある格差と再分配政策、予算削減による科学技術力の低下などがあるが、安倍政権はなぜこうした課題に果断かつ適切に取り組めないで来たのか。幾つか要因はあると思うが、一つには既存の利益集団を重視して、成長の幻影を追って来たこと。課題先送りのぬるま湯に浸って客観的な現実を直視せず、古い発想を転換出来なかったこと。また権力維持のために、回りを身内的な議員と官僚で固め、真のブレーンを集めてこなかったこともあるだろう。

そして何より大きいのは、政治の停滞と腐敗を招いた政治家としての資質である。先日のBS1スペシャルで渡邊恒雄(読売主筆)が中曽根元首相について語っていたが、自己研鑽に努め、自分がやるべきこと(国鉄、電電公社などの民営化)を研究し、ブレーンを集めてやりきった強い意志である。安倍が唱える憲法改正もこ

こまで来ると、彼の支持母体(右派陣営)をつなぎ止めるお題目にしか見えない。安倍は「私の後をやる人は大変だ」などと他人事のように言っているそうだが、彼が残したのは、むしろ「失われた8年」による「負の遺産」の方が大きいのではないか。

▼コロナショックの先に何が見えるか

その安倍の後を誰が担うのか分からないが(＊2)、こうした「負の遺産」を処理するには、政治家として余程の智恵と決断力が必要になる。今の日本に、そうした政党、政治家が残っているか。政治家を支え、時代を転換させるような頭脳集団はいるのか。今回の新型コロナショックの先になるだろうが、この危機を何とか乗り越えた時に、新しい政治の可能性がぼんやりとでも見えてくるのを期待するしかない。

（2020年3月10日）

（＊1）2020年5月、黒川は賭け麻雀の不祥事で検事長を辞任、従って昇格もなかった
（＊2）2020年8月、安倍の体調不良による辞意表明の後、菅義偉が次期首相に就任した

民主主義と国家ビジョン

イギリスの元首相ウィンストン・チャーチル(1874～1965)はかつて、「民主主義は最悪の政治といえる。これまで試みられてきた、民主主義以外のすべての政治体制を除けばだが」と言ったが、これは逆説的に「民主主義はこれまで試みられてきた民主主義以外の政治に比べれば最良の政治形態だ」と民主主義を

肯定する一方で、政治家にとって民主主義は、時間と忍耐を要する面倒な政治形態だと嘆いた言葉でもあるだろう。確かに面倒でも、民主主義がなければイエスマンで固めた独裁者の暴走や権力の腐敗を監視、是正する機能は期待できない。

しかし、その民主主義が政治の場で何より大事な政治的価値として扱われているかと言えば、この現代に至ってもその地位は大きく揺らいでいる。2021年のデータ(*)では、世界199の国と地域のうち、意味のある選挙を実施している民主主義国家は90か国だが、選挙があっても独裁的国家、あるいは選挙もしない独裁国家は109か国。この非民主主義的国家には中国もロシアも入っているが、今や世界人口の71%が非民主主義国に住んでいる状況であり、この傾向はむしろ進んでいる。今、世界の中で民主主義の位置づけはどうなっているのだろうか。

＊英オックスフォード大統計

▼民主主義 VS「MAKE AMERICA GREAT AGAIN」

8日に行われたアメリカ中間選挙では、バイデン大統領とトランプ元大統領の戦いの様相を呈したが、バイデンはトランプを意識して「これは民主主義を守る戦いだ」と言って上院では僅かに共和党を制した。それだけトランプはアメリカの民主主義を根底から揺るがしてきたと言える。大統領時代に行った、膨大な嘘の発信、メディアへの攻撃と脅し、選挙の正当性への異議、政権に身内を登用する公私混同、司法への攻撃や裁判官(判事)登用への介入、政敵への犯罪者呼ばわり、支持者の暴力の黙認ないし賞賛などである。

民主党の勝利は民主主義への危機感と同時に、共和党の人工中絶禁止への若者層の反発が大きかった結果とも言うが、一方で、15日に「再度、大統領選挙に出る」と宣言したトランプには、今も熱狂的な岩盤支持層がいる。その支持者を惹きつけているのは、トランプが掲げる「MAKE AMERICA GREAT AGAIN」(MAGA)

である。この日の立候補宣言でも、トランプは「アメリカを再び偉大で輝かしい国にする」と演説した。これは彼の「アメリカファースト」にもつながるスローガンだが、バイデン側からは聞こえて来ない「国家の夢、国家ビジョン」でもある。

▼バイデン政権の「民主主義VS専制主義」

方や「民主主義を守れ」と訴える民主党。方や「MAKE AMERICA GREAT AGAIN」と訴える共和党。アメリカ国内はこの二つの主張の間で真っ二つに分断されている。もちろん、世界の多くの国々で民主主義の価値観が揺らいでいる時に、バイデン大統領が民主主義の価値観を守れと訴えるのは、ある意味当然とは思うが、この「民主主義の価値観」の訴えと、「国家の夢、国家ビジョン」の訴えは、どこかですれ違っているようにも思える。何がどうすれ違っているのか。それを考えるために、覇権をめぐって争っているアメリカと中国の場合を見てみる。

これまでバイデン政権は、中国やロシアを念頭に「民主主義対専制主義」という価値観の違いを掲げ、NATOや東アジアの民主主義国家(日本、オーストラリア、インド)を束ねてロシアに対抗し、中国を封じ込めようとして来た。しかし、今回のG20の期間中、14日にインドネシアのバリ島で行われた米中首脳会談で中国の習近平国家主席はこれに反発。「米国には米国式の民主主義があり、中国には中国式の民主主義がある。自国を民主主義国家、他国を権威主義国家と定義すること自体が非民主主義的だ」と反論したという。相当、カチンと来ているらしい。

▼中国の「国家の夢、国家ビジョン」

香港の民主派や新疆ウイグル族への弾圧などを見れば、中国が民主主義国家とはとても思えないが、「中国には中国式の民主主義がある」とは、どういうことか。思うに、中国は党員9千万人の中国共産党の一党独裁国家で、これを維持することが至上命題であり、全国人民代表大会(全人代)や共産党大会など、その枠内での様々な政治的仕組みが「中国式の民主主義」と言いたいのだろう。しかし、これは限られた仕組みで14億国民全体のものでなく、西欧式の民主主義とも違う。国民全体を考えた場合、彼らが重視するのは、そうした民主主義的価値観よりも「国家の夢」の方になる。

習近平の中国はかねてから、2049年の建国百年に向けて「中華民族の偉大な復興」を国民の夢として掲げてきた。清朝末期のアヘン戦争などで欧米の列強や日本に浸食された国富を回復し、大国を復活する夢である。そのために、格差を是正して国民の富を底上げする「共同富裕」や世界の製造強国を目指す「中国式現代化」を目標にしてきた。これは、明治初期の日本の「富国強兵」や「文明開化」などと同じ類の「国家の夢、国家ビジョン」だが、今の中国はそうした「国家の夢、国家ビジョン」を民主主義の価値観より上位に置いていると言える。

▼民主主義は必要条件だが、十分条件ではない

こうして見ると、トランプの「MAKE AMERICA GREAT AGAIN」も、中国と同じ類の「国家の夢」には違いなく、選挙結果は、その夢のためには民主主義的価値観に縛られないと考えるトランプ支持層が多いということを示している。逆に民主主義的価値観を訴えるバイデンには「国家の夢」が欠けていて、国民を政治に惹きつける何かが足りない。つまり、政治を健全に機能させるための民主主義は必要条件ではあるが、

十分条件ではないということ。国民を政治に惹きつけ、政治を身近に感じさせるためには魅力的な「国家の夢、国家ビジョン」も欲しいことになる。

そこで「国家の夢、国家ビジョン」が大事になるのだが、この点、プーチンの「大ロシアの復活」や習近平の「中華民族の偉大な復興」に匹敵するものが、民主的国家には少ないのは何故なのだろうか。彼ら権力の集中を目指す強権的国家は、国民を束ねるために「国家の夢」(スローガン)を掲げるが、それは愛国心を掻き立て、民族の誇りをくすぐるもので、往々にして排他的になったり、攻撃対象を仕立てたりする。かつてのヒトラーや軍国日本、現代のプーチンや習近平、トランプの場合も根幹には(全部ではないが)似たような要素が含まれている。

▼民主主義を土台にした魅力的な国家ビジョンを

それに対して、民主主義的価値観を大事にする民主国家が「国家の夢、国家ビジョン」を作るとすれば、どういうものになるのだろうか。高度成長期の日本では「所得倍増計画」(池田勇人)、「日本列島改造」(田中角栄)、「田園都市構想」(大平正芳)などの国家ビジョンが提示されたが、国の勢いがなくなった近年は、夢のある「国家ビジョン」が一向に見られない。安倍の「戦後レジームからの脱却」、岸田の「デジタル田園都市構想」なども曖昧で、国民を政治に近づけたとは言えない。民主主義を土台にしながら、魅力的な国家ビジョンは出来ないものだろうか。

具体的な文言にまでは至らないが、ここでは日本の国家ビジョンが備えるべき条件の幾つかを上げることにしたい。一つは、この国の持続可能性である。祖先から受け継いだ豊かな社会的共通資本(自然環境や各種社会制度、インフラなど)をより豊かにして次世代に引き継ぐこと。「失われた30年」の日本の現実を直視し、日本が抱える膨大な財政赤字を立て直し、少子化、超高齢化をソフトランディングさせていく。そのための教育国家、文化国家の再構築である。もう一つは、世界の中の日本の視点である。それは、日本を自然エネルギー大国にする夢であり、脱炭素技術で世界に貢献していく。さらには、世界平和構築への貢献である。こうした理念を魅力的な国家ビジョンとして提示して貰いたい。

イアン・ブレマー(アメリカの政治学者)の「危機の地政学」によれば、これからの世界は大国同士の価値観の衝突、地球温暖化、パンデミック、破壊的な技術という破滅的な危機に直面する。その危機をバネに、国際協調の道を探ろうというのが本書の趣旨だが、平和の構築のためには、価値観の違いを乗り越えて、日本がそこでしっかりと役目を果たしていくということも、国家ビジョンに書き込まれなければならない。

(2022年11月18日)

第3章　世界はどこに向かうのか。人類が直面する大問題

一方、世界に目を向ければ、第1章で見た核戦争の脅威のほかにも、人類が直面する待ったなしの大問題や大変化がある。第3章では、それらを2つに分けてみた。一つは、2022年の去年も、世界各地で大干ばつや大洪水を引き起こした気候変動の影響である。その原因とみられる地球温暖化について、私たちは34年前の1989年にマスメディアとしては初めて本格的に特集番組で取り上げた。しかし、その後も本文中に書いた経過をたどりながら、対策は遅々として進まなかった。そして今、北極や南極の氷も解け始め、海面上昇で水没の危機にある島国もある。

その温暖化問題がようやく2015年の「パリ協定」(COP21)で人類共通の問題と認識され、世界が脱炭素に動き始めた。しかし、2022年11月にエジプトで開かれたCOP27(国連の気候変動会議)は、ウクライナでの戦争が色濃く影を落とすものになった。戦争によるエネルギー不足で世界はCO_2を出す石炭火力へ戻り、地球の気温を産業革命後の気温に比べて1・5度の上昇までに抑えるという、昨年の合意事項が守られるかどうか極めて危うい状況だ。温暖化のより深刻な影響を受けるのは、私の子や孫たちの若い世代になる。「もしあなたが若者だったら」に書いたように、既に活動を始めている若い世代の行動に期待したい。

二つ目は、さらに時間軸を大きくとってみた時に、人工知能の衝撃や、100年に一度の大変革、巨大IT企業の登場といった、私たちの未来に大きな影響を及ぼすテーマを選んだ。特に巨大国家中国は、2022年に異例の三期目に入った習近平総書記のもとで中華民族の偉大なる夢を掲げ、経済、科学技術の面での強国をめざしている。それはアメリカの警戒心を呼び起こし、世界は米中の覇権争いに否応なく巻き込まれて行く。特に、アメリカは民主主義VS専制主義という価値観の違いを打ち出して、日本も含めた中国包囲網を作ろうとしている。この分断と覇権争いが、今後どのような展開を見せるのか。

また、人類の豊かさへの飽くなき欲望が、世界規模で展開される「強欲な資本主義」は、これからの人類社会と相いれるのか。人類は、この果てしない欲望をコントロールできるのか。これからの日本にとっても大事な「グローバル時代を生きる知恵」について考える。

1 どうする？ 年々暑くなる地球とその未来

地球温暖化は防げるか？

平成元年（1989年）の3月に、私たちは以前から企画していた地球の大気汚染と温暖化、海洋汚染に関するNHK特集「地球汚染　①大気に異変が起きている」、「地球汚染　②海はひそやかに警告する」を放送した。今から17年も前（＊1）のことである。アメリカ環境省から入手した、まだ議会に報告する前の最新データや、プリンストン大学の大型コンピュータを使った地球温暖化のシミュレーションをもとに、地球の未来を描いたものである。これが本格的に地球温暖化を扱った日本で最初の環境番組になったと思う。

海面上昇による海岸侵食、巨大台風の発生、熱帯性病原菌の北上、砂漠化や干ばつによる食糧危機などなど。私たちは地球環境に負荷をかけ続ける現代文明のあり方に警告を発したつもりだった。そして、（別にそれに合わせたのではなかったのだが）タイミング良くその年の7月にパリのサミットで、9月に地球環境保全に関する東京会議で、11月にオランダの大気汚染と気候変動に関する閣僚会議で、地球温暖化問題が取り上げられ、1989年は後に「地球環境元年」と呼ばれるようになった。

▼地球環境キャンペーンは大嘘だった！

しかし、浮上してすぐに地球温暖化問題には様々な思惑が渦巻く。私も思いがけず、その一端を経験することになった。放送直後、一人の週刊誌記者(「週刊ポスト」)が取材にきた。その若い記者はいろいろ聞いた後、すまなさそうにこう言った。「私も個人的には番組の指摘は正しいと思うのですが、正直、もう筋は出来ているんです。ただ、あなたの発言はカッコつきで正しく伝えますので」。

そして翌々日の朝刊を開いてみると、「大マスコミの地球環境キャンペーンは大嘘だった！」という週刊誌の大きな見出し広告が躍っていた。当時の日本は、環境対策で主導権を握りたい環境庁と、それで経済成長が鈍化することを嫌った通産省とが激しく対立していた。その間に立って最新情報に疎い気象学者がそれぞれ勝手な意見を述べている状況(日本国内で温暖化の研究はまだ始まっていなかった)で、記事の背景も容易に想像できた。さすがにこの記事については後追いもなく他のマスコミも無視したが、事ほどさように地球温暖化問題はこれまでも様々な力学に翻弄されてきた。

そして「地球環境元年」から17年たった今も、世界の温暖化対策は一向に進んでいない。問題はどこにあるのだろう？　取りあえず、科学、経済、政治の三つの側面から私なりに地球温暖化の問題点を整理して見たい。

① 科学的側面について

人間活動による大気中の二酸化炭素が、この半世紀で急増していることは事実である。しかし、これが地球温暖化にどの程度影響するのかについては、科学者の間でも意見が分かれている。その理由は、水や大気が循環する地球のシステムが複雑すぎて、まだ十分解明されていないからだ。さらに、地球気温には太陽活動の周期的な変動も関係してくるが、これが良く分からない。温暖化問題の前は、地球は氷河期に向うと言われた時もあったくらいだ。

しかし現在、世界最大のスーパーコンピュータによる最新のシミュレーションは、温暖化の影響をよりはっきりと描くようになっている。また、地球上で不気味に進行する、海面上昇、巨大ハリケーン、氷河の後退なども、温暖化の前触れと考える科学者は多い。

従って現時点では、地球温暖化問題はいろいろ不確実要素があるにしても、国際的に対策を講じるべき人類共通の課題として認知されているはずである。ところが地球温暖化については、いまだに難癖をつける科学者があとを絶たない。科学が厳密さを求めるのは当然のことだが、厳密さの故に温暖化対策にまで疑問を呈する。そこに、経済的、政治的思惑が付け入ることになる。

②　政治的側面について

温暖化対策のために二酸化炭素の排出量を抑えるには、まず石油消費量を抑えなければならないが、これはその国の経済成長にとって大きなリスクとなる。だから温暖化防止の国際条約を巡っては、各国のエゴが激しくぶつかり合うことになる。

温暖化防止条約は、（1997年の京都会議からようやく7年後にロシアが批准して）去年発効したものの、人口が多く経済発展が目覚ましい中国、インド、ブラジルなどが途上国扱いで免責されている上、最大のエネルギー消費国のアメリカが参加を拒否している。これらの国々をどう枠組みに参加させるのか、国際政治の駆け引きは第二段階に入っているが、国家エゴが絡んで先が見えない状況が続いている。

③　経済的側面について

国家エゴのぶつかり合いを避けて、経済的誘導によって温暖化防止を進めるアイデアもないではない。例えば、耳慣れない「排出権取引」。防止技術や資金の提供で途上国の排出量を削減してやる代わりに先進国の排出量を認めてもらう。最近、この排出権取引市場が妙に活気づいていると言う。しかし、私はこうした市場経済主義が温暖化防止にどれだけ有効かは不確実だと思う。直感的に言えば、この程度の利益誘導で抑制される排出量は全体のごく一部でしかなく、防止条約の厳しい要求を実行していくには、より根本的な発想の転換が必要になるだろう。

▼持続可能な社会（循環型社会）への転換

むしろ私が注目しているのは、ドイツなどヨーロッパで試みられている地球環境にやさしい「循環型社会」への動きである。製品を徹底してごみが出にくい設計に変えたり、ごみ発電や風力発電などの代替エネルギーに補助金を出したりと、法律や税制の改革も含めて国を挙げて「持続可能な社会」への転換に取り組んでいる。二酸化炭素の削減も環境政策全体の中で考えられており、私は、温暖化防止は地球をこうした「循環型社会」に変えることでしか達成できないのではないかと思っている。

私は時々、このドイツの原動力が何なのか不思議になる。二酸化炭素の削減だけに振り回される視野の狭い日本の取り組みや、市場原理主義を突き進むアメリカなどとは、まるで違う価値観を目指しているように見えるからだ。いろんな見方があるだろうが、私が大胆に仮説を立てるとしたら、「ドイツは石油文明以後の世界を見据えて、次世代エネルギーの主導権を狙っているのではないか」ということである。ドイツ・ゲルマン民族の深謀遠慮説である。石油が枯渇し世界が次のエネルギーを探し始めた時、果たしてドイツがエネルギー大国として浮上する日がくるのだろうか？

ともあれ地球温暖化問題は、人類の価値観が何らかの形で変わらなければ前進しない大問題である。国家エゴのぶつかり合いで時間を浪費すれば、温暖化は取り返しのつかないところまで進行していくだろう。当たり前のことだが、地球環境の変化は人間の思惑など待ってくれないからだ。

（２００６年５月27日）

（＊1）番組は、2023年の現在からみれば34年前になるが、この時は2021年に地球温暖化の研究でノーベル物理学賞を受賞した米プリンストン大学（アメリカ海洋大気庁・地球物理流体力学研究所）の真鍋淑郎博士に協力して貰った

人類の生き残りを賭けた挑戦

今年生まれた子どもたちは、平均寿命からすれば高い確率で、85年後にやってくる22世紀をまたぐことになる。私も最近生まれた孫の顔を見ながら、この子の生涯は、どんなものになるのだろう、その時の世界と日本、そして地球はどうなっているだろうか、などと考える事がある。22世紀までの長いスパンで考えれば、日本では巨大津波が心配される南海トラフ地震や首都直下地震は必ず起きるに違いない。うまく大災害をやり過ごすことが出来るだろうか。その時、原発はどうなっているだろうか。またその間、世界で大きな戦争や核戦争は起きないだろうか。そして何より、これからの地球は温暖化で年々熱くなるが、孫たち世代はどのように暮らして行くのだろうか。

日本の問題は日本人の知恵で切り抜けるとして、特にこうした「人類の大問題」に、人類は英知を集めて立ち向かっていけるだろうか。その解決への道筋を作るのはもちろん、現役世代の責任になるわけだが、その一つである地球温暖化防止に向かって、世界がようやくまとまって動き出した。「パリ協定」の始動である。「始動は、もう少し先になるのではないか」と日本が手をこまねいているうちに、9月3日には世界の38%を排出している米中が、30日にはEUが批准し、さらにインドとカナダが続く。この結果、条約発効のためには55ヶ国以上が締結し、全排出量の55%を超えなければならないという条件を一気にクリアしたわけである。

パリ協定の始動は人類(孫たち世代にとっても)の朗報だが、それにしても、この1ヶ月の動きは「これだ

け加盟国が多い協定では最速の発効」（国連特別顧問）と言うくらい急だった。世界がいよいよ温暖化防止に向かって動きだした感じがする。しかし、11月7日からモロッコで実質的なルール作りが始まるCOP22の第一回締約国会議には、出遅れた日本は参加できないという。どうしてこんな動きになったのだろうか。また、なぜ日本は出遅れたのか。今回は、動きの背後にある（と思われる）「世界システムを動かす高度な専門性」について探ってみたい。

▼地球温暖化防止。人類の生き残りを賭けた挑戦

パリ協定とは、2015年の12月にパリで開かれたCOP21（国連気候変動枠組み条約第21回締約国会議）で、世界196の国と地域が参加して決めた協定だ。批准国は温室効果ガスの自主的な削減目標を決めて、2020年から取り組む。それを5年ごとにより厳しく見直して、今世紀末の気温上昇を2度未満、出来れば1・5度に抑えたい。そのため今世紀後半には、世界の温室効果ガスの排出を実質ゼロにする、というものである。

しかし、これは前にも書いたように、地球の気温は既に産業革命以後、1度上昇しているので、2度以下に抑えるのは極めて厳しい状況になっている。まさに待ったなしの状況で、「人類の生き残りを賭けた挑戦」が始まったわけである。

先にも書いたが、私たちがNHK特集「地球汚染」でメディアとしては初めて本格的に地球温暖化問題を取り上げたのは、1989年3月だった。その時、特殊撮影で描いた巨大台風の襲来、大干ばつによる環境難民、病原菌の北上、海面上昇などのシミュレーションは、今や現実のものになりつつある。この間、地球温暖化問題は常に様々な異論・反論・雑音に悩まされて来たが、国連は1995年に第一回の気候変動枠組み条約締約国会議（COP）を立ち上げ、温暖化防止策について粘り強く議論してきた。

ＣＯＰ3（１９９７年）では京都議定書が出来たが、最大の排出国の米中が枠組みから撤退。ＣＯＰ15（２００９年）では具体的な進展はなかったが、米中も入って地球温暖化が人類共通の課題だという認識が深まり、ＣＯＰ21（２０１５年）で画期的とも言える「パリ協定」が実現した。今回、各国が競うように協定を批准した背景には、この人類的課題で米中2国が世界をリードする姿勢をアピールしたいという大国同士の思惑や、パリ協定の本家であるＥＵが遅れを取りたくない、といった思惑もあった。しかし実際は、温暖化の影響がもはや無視できないくらいに、世界の安定を脅かし始めているという認識が大きかったと思う。

▼パリ協定をまとめ上げた立役者。要求される高度な専門性

9月4日放送のＮＨＫスペシャル「MEGACRISIS～加速する異常気象との戦い～」にあったように、世界では今、豪雨や竜巻、大干ばつなどの異常気象が頻発。アラスカなどの永久凍土からは、二酸化炭素の数十倍も温室効果を持つメタンガスが大気中に大量に放出され始めている。世界の気温はじりじりと上がっており、日本各都市の夏が軒並み40度から44度を超えるとの予測も出ている。科学者の予想をも超えて急速に進行する温暖化への危機感が、各国の批准を促した大きな要因だろう。

同時に、この間の各国の駆け引きや、交渉の舞台裏を見ていると、そればかりでもない事に気づく。去年のパリ協定の時、議長国のフランスは協定成立に向けて驚異的な粘りを見せた。連日のように新しい草案を提示し、それを見て怒る各国を、会期を延長して徹夜で議論させ、しかもその論点に一番反対している国をまとめ役にするなどして巧みに采配。また、「高い野心同盟」といった、主張が近い国同士の仲間作りも行って高い着地点へ向けて主導するなど、１９６ヶ国・地域の信頼を徐々に集めて偉業を達成した（小西雅子、ＷＷＦジャパン）。この高度な交渉術と問題を熟知した戦術がなければ、ＣＯＰ21も例年のように何も決められ

ないまま終わっていたかも知れない。

そのCOP21の特別代表として「パリ協定」を合意に導いたローランス・トゥビアナ氏(64歳)のインタビュー記事が毎日に載っている(8／25)。環境や開発問題が専門でパリ政治学院教授の彼女は、2014年にオランド仏大統領の要請で仏気候変動交渉担当大使に就任した。記事の内容を読むと、彼女が温暖化防止について最高度の専門性を有していることが分かる。CO2削減の技術的動向、炭素税の導入や排出規制の制度的動き、大国を含めて世界各国の熱意や能力の差に関する知識、世界銀行など公的機関の利用法などなど。まさに、温暖化防止のエキスパートが複雑な世界システムを動かす中心にいる感じがする。

複雑に利害や思惑が絡まり合う世界で、経済力も技術力も違う196もの国と地域をまとめていく。各国の利害を調整し、国に応じた動機を作り、アクセルとブレーキを巧みに使い分け、人類の生き残りに賭けた挑戦を主導していく。そこには、課題に対する深い知識と国際関係を動かしていく高度な専門性が要求されるはずで、パリ協定は国の明確な意志に加えて、彼女のようなエキスパート集団がいたからこそ、かくも最速で発効にこぎ着けたのだと思う。

▼日本はどうする? 日本にエキスパートはいるか

比べて日本はどうか。何故出遅れたのか。協定は出来たが、各国の利害調整に時間がかかるので、批准は早くても2018年になるのではないか、と高をくっていた気配もある。また、省エネなどで早くからCO2削減に取り組んできたという自負から思考停止し、産業界に気兼ねして炭素税の導入など具体的なCO2削減策について詰めた議論をしてこなかった。再生可能エネルギーの導入にも腰が据わっていない。その点では、一部の地方自治体の方が頑張っているくらいだ。

しかし、世界の動向を見誤った最大の原因は、日本の中枢が内向きになっていることだと思う。国際的システムを動かした経験に乏しく、人類的課題を熟知して世界をリードするような国際的専門家集団が少ないこともあると思う。そこが、真の問題ではないか。同じ人類的課題の一つである「核廃絶」などでは、国際システムを動かす専門性はさらに高度に、複雑になっていく。人類が世界を挙げて取り組むべきこうした大問題で世界を先導し、人類の未来に貢献しようとするなら、日本も足元の具体策を急ぐと同時に、国際問題のエキスパートを育てて「真の国際化」を目指すべきだと思う。

（２０１６年10月４日）

もしあなたが若者だったら

２０１５年12月の「パリ協定」(ＣＯＰ21)では、今世紀末までに温室効果ガスの排出を実質ゼロにして、気温上昇を２度未満、出来れば１・５度に抑えたいと世界が辛うじて合意したが、トランプ大統領のアメリカがその合意から離脱。今年６月のＧ20(大阪)ではアメリカを別扱いにしてパリ協定の合意をようやく再確認するという状態だった。議長役をつとめた日本も熱心なヨーロッパに比べて一向に腰が定まらない。「残念ながら、今の日本に期待する声は全くない」状況である(加藤三郎・ＮＰＯ法人環境文明21顧問)。

それもそのはず。政府は産業界の意向に押されて石炭火力を増やそうとして世界から非難されているし、企業に二酸化炭素の排出を強制的に抑制させる炭素税を課す動きもない。原子力をベース電源とするエネルギー政策に固執して、太陽光など再生可能エネルギーの普及にも及び腰だ。パリ協定を前倒しして、２０５０年までに温室効果ガスの排出ゼロを掲げるＥＵに対して、日米は国と行政、産業界の利権やエゴが絡み合って抜本的な手が打てない(＊１)。未来に責任を負うべき大人たちが議論に時間を費やしている間に、待ったなしの温暖化が不気味に進行しているという図式である。

▼16歳の環境活動家グレタ・トゥーンベリ

そんな状況に危機感を抱いて立ち上がったのが、スエーデンのグレタ・トゥーンベリ(16歳)である。15歳の時に、地球温暖化防止を訴えるために学校を休んで国会前に座り込む抗議行動「気候のための学校ストライキ」を呼びかけ、それが世界に広がりつつある。今年3月には世界100カ国、数十万人が参加するまでになった。彼女はこれまで、世界の経済人が集まるダボス会議やCOP24でスピーチを行っているが、その内容は、若者が地球温暖化をどうとらえているか、大人たちをどう見ているかを如実に示している。彼女は「パニックになってほしい。私が毎日感じるような恐怖を感じてほしい」と訴える。

「地球の気温上昇を1・5度未満に抑えるか、抑えないか。私たちが生き残るためにグレーの部分はない」(ダボス会議)。「もし政治家が気候変動に真剣に取り組んでいたら、税金やブレグジット(イギリスのEU離脱問題)などに時間を費やしてはいないだろう」(欧州議会)。さらに、去年12月にポーランドで開かれたCOP24でも、彼女は政治家を前にして「あなた方は人気低落を恐れるあまり、環境に優しい恒久的な経済成長のことしか語りません。真実を語れない未熟な皆さんがその負担を子供に課しているのです。皆さんは、子供を何よりも愛していると言いつつ、子供の未来を奪っているのです」と、痛烈な大人批判を展開している。

「2078年、私は75歳の誕生日を迎えます。もし子供がいれば、その日彼らは私に皆さんのことを尋ねるでしょう。手を尽くす時間が残っているうちになぜ何もしなかったのかと」。彼女は現在、9月に開かれる国連総会に出席するために彼女に賛同した支援者のヨットで2週間かけて大西洋を横断する計画を立てている。CO2を出す航空機に乗らない主義を貫くためという。このヨットもそうだが、学校のストライキに賛同して別な日に授業をしてくれる先生や、彼女の行動に賛同する多くの大人たち(未来のための祖父母など)も現れているという。

▼地球の未来への関心より目の前のナショナリズム

こうした活動は大人たちを動かせるか。ＥＵヨーロッパでは、脱原発を決めたドイツが２０３８年までに石炭火力も全廃する方向だし、ベルギーを始めとして大幅な前倒し削減の計画もこれと無関係ではないだろう。ただし、トランプ大統領と連携したＥＵの極右は彼女の活動に批判的というから、大人というのはどこまでも罪深い。翻って日本はどうか。「もし政治家が気候変動に真剣に取り組んでいたら」というグレタの文脈に沿えば、「憲法改正などに時間を費やしてはいないだろう」となるのかも知れないが、現政権が彼女のような声に耳を貸すとは思えない。

奇妙なことに日本では、地球温暖化問題に対する関心が総じて低い。温暖化を「とても心配している」と答えた割合は世界で78％なのに、日本は44％と極端に低い(２０１５年、国連事務局調査)。若者たちも「デモより勉強」という意見が多いという(国立環境研究所調査)。こうした傾向を見ると、大人のみならず今の日本の若者たちは、本当は直視しなければならない重要な問題から意図的に目をそらされているのではないかと勘ぐりたくなる。大事な問題(地球温暖化や格差と貧困など)の代わりに、今の日本では日韓対立など、若者たちのナショナリズムを煽るテーマに事欠かないし、それを政治が利用している。

▼政治を変える主役は目覚めた若者たちに

一部の目覚めた若者たちは別として、若者の多くは今、スマホからの断片情報に満足して殆ど本も新聞も読まずに、日々を刹那的に生きている。そのスマホには、反日、嫌韓といった情報があふれ、一方のメディアも視聴率のとれない重いテーマは敬遠し、日々ワイドショー的な情報の垂れ流しに明け暮れる。こうした状況を見るにつけ、国の背骨が溶けていくような恐ろしさを感じるのは、私が年老いたせいだろうか。(私はもういないが)この先20年、30年後を考えると、地球温暖化の進行もさることながら、日本の将来はどうなるのだろうと思うことがある。

今回の参院選挙の投票率は、史上2番目に低い48・8%だったが、18歳と19歳の投票率は31・3%と特に低かった。これは政治の思うつぼかもしれないが、しかし、これから一生、地球温暖化の現実に向き合って生きなければならないのは今の若者たちである。未来の子供たちに「手を尽くす時間が残っているうちになぜ何もしなかったのか」と問われる前に、やるべきことは沢山ある。残り少ない私もせめて「もし自分が若者であったら感じる筈の深刻な危機感」を若い人たちと共有して行きたいが、今の惰性的な政治を変える主役には、是非目覚めた若者たちこそなってほしいと思う。

(2019年8月8日)

(＊1) 2020年10月になって、菅首相が2050年までに温室効果ガスの排出を実質ゼロにする「カーボンニュートラル」を宣言した

コロナが促す「脱」の世界

2020年2月に新型コロナが日本で問題になり始めて一年が経過した。この間、切り抜いて来た新聞記事のファイルを取り出して見ると、日本学術会議に対する任命拒否問題や前政権時代の不祥事など、コロナに

気を取られている間に置き去りにされている問題もあれば、貧困や格差、人口減少、科学技術力の低下など陰で進行している問題もある。また、異次元の金融緩和や巨額の財政赤字など、コロナが落ち着いた時には、さらに深刻化している問題もある。この一年、コロナは何をどう変え、何を置き去りにしてきたのか。それを少しずつ考えて行く時期かもしれない。

▼コロナの収束には数年以上かかる？

そのコロナでは、2月17日からワクチンの接種が始まった。アナフィラキシー反応など接種直後の副反応や、効果についてのデータは現時点でかなり集まってきているようだが、人工的に強い免疫抗体を体内に作ることによる自己免疫異常（あるとすれば、数ヶ月後）の副反応については、注視しているが、一向にそのニュースはない。世界に先駆けて開始したイスラエルや試験段階でのデータなど、数ヶ月以上経過しても特段の報告がないとすると、それは杞憂だったかも知れない。日本で本格化する4月以降ならより安心に違いない。

ただし、ワクチンの効果がどの位持続するのか。感染を防ぐのか重症化を防ぐのか。海外の変異種にどの程度まで効くのか。あるいは、未知の変異種に対してはどうか、またその時、ワクチンの改良は可能か。こうしたデータはまだまだで、大方の予想ではインフルエンザのように、毎年ワクチンを改良して接種する必要があるかも知れないという。従って、世界にワクチンが行き渡るまでは、毎年現れる新しい変異種を改良ワクチンでしのぎつつ、コロナ時代に合った生活を続けざるを得ないことになる。その中で、いつか集団免疫ができるのを期待するということだろうか。

▼パンデミックを引き起こすグローバル化

そうすると、コロナの収束には何年もかかるだろう。この間に、幾つかの後戻り出来ない変化が社会に起きて、様々な価値観の転換を迫っているとすれば、それはどういうことだろうか。そもそも新型コロナがここまで爆発的に広がったのには、大小幾つかの要因があげられる。一つはどうしても3密で成り立つような都市機能の集中である。人が集まることで利便性が増し、さらに人が集まるというサイクルで発展してきた都市だが、それが感染症に脆弱であることがはっきりした。一方で、森林破壊が進み、野生生物とヒトとの接触が増加することも新たな感染症のリスクを高める。

そして、何より大きな要因はヒト、モノ、カネのグローバル化だろう。中国・武漢市で発生した新型コロナがあっという間にイタリアに飛び火してパンデミックを引き起こす。或いは、南アの変異種が世界中に広がる。これはグローバル化した経済による人の移動が、それだけ世界中に拡大していることを物語る。これらに対して感染拡大を抑えるのが、人の移動を減らす都市封鎖(ロックダウン)や自粛、水際対策であり、もう一方のリモートワークの導入、都市から地方への移住などはコロナ収束後も、後戻り出来ない傾向として持続して行くだろう。

▼より明確になった「持続可能性」という価値観

感染症のリスクを高めるのが、都市への集中、自然破壊、極端なグローバル化だとすると、これらの対極にある価値観とは何だろうか。それが「集中から分散」であり、地球環境維持を主眼とした「持続可能性」となる。特に、分散化もその一部と捉えれば、この「持続可能性」こそが鍵であり、これからの経済、暮らしのあり方、エネルギーなど、すべてにおいて、その適否を占う重要な価値観になっていく。これは実は、コロナ以前から私たちが迫られていたテーマだったのが、コロナによって、その必要性・重要性がより明確になったとも言える。

２０２０年に放送された「薄氷のシベリア、温暖化への警告」(ＢＳ１)では、温暖化によって北極の氷が大規模に溶け出している様子や、永久凍土が溶けて地下の(ＣＯ２の21倍の温室効果がある)メタンガスが爆発的に〝噴出〟、或いは未知のウイルスが出現する実態が描かれ、既に北極圏では温暖化が「後戻り出来ないポイント(tippingpoint)」を超えていると言う。こうした現象をみると、コロナのパンデミックも、地球の「持続可能性」の破綻が招いた一例に過ぎないように思える。この待ったなしの危機を前に、「持続可能性」が私たち人類に迫る、様々な「脱」(脱皮、転換)を考えてみたい。

▼「持続可能性」が迫る様々な「脱」

その一つはもちろん、「脱炭素」である。菅政権は去年、遅ればせながら２０５０年までに温室効果ガスの排出を全体としてゼロにする(カーボンニュートラル)を打ち出し、現在工程表を作成中だ。その柱は、電力(脱火力)、運輸(脱ガソリン)、省エネ(産業全般と生活における脱石油)で、具体的には、火力発電を減らして再生可能エネルギー(太陽光、風力、水力などの発電)をメインにする、車を電気自動車(ＥＶ)にする、水素利用の産業にする、などだが、既に利害が反する産業界の抵抗や、経産省と環境省、農水省などの綱引きが始まっている。

その調整をどのようにしながら、メリットを与えて産業界を牽引していくのか。政府は、こうした産業構造の転換を経済成長に取り込む「グリーン成長戦略」を掲げようとしているが、これを推し進めるには、相当な腕力がいる。その具体的な項目については、いずれ吟味する必要はあるが、確実に言えることは、こうした「脱」政策は従来の固定的な発想や既得権益など諸々の枠組みからの転換を促すことである。すなわち、「持続可能性」が迫る様々な「脱」は、従来の不自由な価値観(くびき)からの「解放」を促すということである。

▼従来の価値観からの解放を促す「脱」政策

例えば、脱炭素は日本の安全保障の面でも画期的な段階に入ることを意味すると言う(西村六善、元外務省気候変動担当大使)。日本は戦後長らくエネルギー自給率10%で生きていくために、シーレーンからホルムズ海峡までの安全確保、中東の安定への投資など、石油の安定供給を図るために多大な努力を費やしてきた。脱石油は、それからの解放を意味する。加えて、脱炭素で目標を共有する世界の国々(特にアジア)との技術協力、農業技術の移転などで日本は有意義な国際貢献が出来る。「脱」政策は、くびきからの解放と同時に、新たな自由と可能性をもたらすわけである。

脱炭素においては、単に「グリーン成長戦略」で経済成長を、と言った従来の経済的価値観に立つのではなく、こうした骨太の価値観の転換を見なければならない。それはエネルギー面での集中型(原発)から分散型(自然エネルギー)への転換を目指す「脱原発」でも同じ。脱原発によって、日本は日々増大する使用済み燃料、金食い虫の核燃料サイクル、巨大地震やテロなどへの安全対策の膨大な投資から解放される。しかも、今や原子力より安くなった安全な再生可能エネルギーの普及に障害となっている「硬直化した電力システム」からも自由になる。何より、原発は事故の可能性、使用済み燃料の後始末などで、地球環境の「持続可能性」を危うくする。そうした心配からも自由になる。

▼最後の難敵「脱グローバル化」と「脱(強欲な)資本主義」

さらに、持続可能性が促す「脱」には、「脱グローバル化」があるかも知れない。現在のグローバル化を推し進めているのは、新自由主義的な「強欲な資本主義」である。コロナ禍の今も、世界では実体経済から遊離した金融資本が、マネーゲームによって暴れまくっている。数年前には一日580兆円(為替取引)だったが、今はコロナの金融緩和でさらに膨らんでいる。それが、マネー空間だけで回っているだけならいいが、その膨らんだ金がやがて世界の実体経済に投資される。それが、世界各地に広がる巨大都市やカジノの開発であり、資源を強奪する物欲の刺激、森林の大規模破壊につながっていく。

この強欲な資本主義をどこかで止めない限り、地球の未来はないことがますます明確になってきた(「人新生の資本論」)。様々な「脱」の中で、もっとも困難な「脱(強欲な)資本主義」。残された時間は少ない。世界は、「持続可能性」を最優先の価値観として、「脱」の未来を切り拓くことが出来るか。それが問われている。

（2021年2月19日）

2 人類の英知が試される100年に一度の大変革

存在の奇跡に感謝しながら

2015年のはじめに当たって、思い切り時間軸の長いテーマを書きたい。今年は日本の敗戦から70年を迎えるが、私は敗戦直前の1945年5月に生まれた。太平洋戦争の敗色が濃厚なこの時期、両親がどのような思いで私の誕生を迎えたのか、これまで聞きそびれて来た。しかし、あの先が見えない時代に田舎に疎開してまで、私を生む選択をしてくれたのは、考えようによっては充分奇跡的なことだったと思う。こうした自分という存在を、最近の科学によって分かって来た宇宙誕生以来の「ビッグヒストリー」(＊1)に照らしてみると、それがさらに奇跡的に思えて来る。

▼宇宙誕生以来の「ビッグヒヒストリー」

１３７億年前、針の先よりも小さな点のビッグバンにより始まった宇宙は、その38万年後には、単純に水素とヘリウムの雲のような状態だった。宇宙は本来、秩序あるモノは崩れて、卵という物体からスクランブルエッグを作るように無秩序で無構造なものに向かう傾向があり、人間のような高度に複雑な個体を作るようには出来ていない。それがその後の長い時間軸の間に恒星を生み、惑星を生み、惑星の上で生命を発生させ、進化によって高等生物までになって行くには、何段階もの敷居(閾値)をまたぐ奇跡が必要だった。

40億年ほど前に、地球の深海で奇跡的に生命につながる化学反応が起きて以来、ＤＮＡという遺伝情報を運ぶ装置の発明によって、地球生命体は進化の手段を獲得しながら地球全体にその多様性と生息域を広げて来た。今の私につながる遺伝子が、その頃どのような生命体を形成していたかは分からないが、それ以来一度も途切れることなく、気の遠くなるような時間をつないで来たわけである。それは、地球全体が氷で覆われる「全球凍結」氷河期(7億年前)や、６５００万年前に恐竜を絶滅させた巨大隕石の衝突さえも乗り越えて続いて来た。

そして20万年前、現生人類(ホモサピエンス)が誕生してからも、私の祖先は5万年前にアフリカを出て全地球に広がるまで、様々な気候変動に苦しみながらも、農業を発明して飢えをしのいできた。そして、日本という土地で縄文を生き延び、戦国時代の戦乱を乗り越え、先の戦争を越えて遺伝子をつないで来た。これは、これまで地球上に出現した生命体の99・9%が既に絶滅したことを考えれば、人類を含む今の地球生物全体に共通する奇跡である。

最近の科学は、宇宙の始まりから私たちの現在までを結びつける、こうした壮大な進化の物語「ビッグヒストリー」を明らかにして来た。こうした奇跡が成立するためには、それこそ膨大な数の何段階もの「敷居」を乗り超える必要があったこと、同時に、奇跡的に乗り越えたものだからこそ脆い存在であるということも分かって来た。いま地球上に存在する人類が、そうした長い時間軸を持った奇跡の産物であることを考えれば、人類は(それが分かって来た21世紀に相応しい)新しい価値観を持つべきではないか。そのことが、ここへ来てより鮮明に意識されるようになって来たわけである。

▼「ビッグヒストリー」を踏まえた新たな価値観を

「ビッグヒストリー」の長い時間軸に照らせば、日本人も含めて今の人類は極めて短い時間軸の中で生きている。明日の経済成長がどうなるか、株価や為替の動きはどうか、中国や韓国に負けないためにどうするか、などなど。さらに海外ではウクライナを巡るロシアとNATOの対立、米中の世界覇権を巡るしのぎ合い、テロを仕掛けるイスラム過激派などなど。それらは、先が見えない中でやみくもに目の前の優位を求めようとする「過度の経済的欲望」や「過度の宗教・イデオロギー」、「過度の国家主義」から出ていると言っても過言ではない。

自分は他者より上位にありたいとか、自分だけが力を持って繁栄したいという欲望。こうした目の前の欲望に基づく価値観が、国家や民族を引きずり回し、世界を不安定の方向に導く。その価値観を全否定するつもりはないが、一方で深刻な副作用を考えれば、「ビッグヒストリー」の中で命をつないで来た人類という奇跡を、より確実に持続していくための〝長期的な視点〟も忘れてはいけないと思う。それが、21世紀の新しい価値観の摸索につながっていくはずだ。

私たちの子孫が、あと100年、200年先も豊かで平和な暮らしを持続させて行くためには何が必要か。それは当然のことながら、人類の過度の欲望を抑える方向で考えられなければならない。一つには(強欲な資本主義から脱する)「脱成長」。破壊的とも言える消費文明を手にしてしまった現代人としては、浪費型文化の下での成長から、持続可能性へ転換を図ることが必須であり、私たちの物の見方・考え方を、経済成長優先の思想から解放する必要がある。さらに、もう一つのキーワードは「共生」。国家間や民族間の殺し合いを避けるためには、過度の国家主義や民族主義、偏狭な宗教・イデオロギーを乗り越えなければならない。

そのためにはまず、国家と個人の関係を見直す必要がある。国家の目的やイデオロギーのために個人が存在すると考えれば、それは全体主義につながってしまうからだ。それを戦前のドイツや日本はいやというほど経験してきた。国家も民主主義も個人に仕えるためにあるということ。それをはっきりさせた上で、個人が(固有の文化を大事にしつつ)世界の人々と共生していくことである。

▼見えて来た方向性とメディアの役割

資源浪費型社会から持続可能な社会へ。そのために日本は、10万年の未来にまで大きなツケを残す原子力エネルギーを放棄して、再生可能エネルギーの技術大国を目指す。また、物質的豊かさを超える豊かさ、例えばセーフティーネットが充実した共生社会や、豊かな自然を大事にして持続可能な循環型社会を追求する。さらに、偏狭で排他的、攻撃的なナショナリズムを極力押さえて、国際協調路線で平和を構築していくことである。

それは、単に理想を掲げれば出来ると言うものではない。EUを作った時のように国際間の複雑で緻密な交渉と膨大な約束事の上に成り立つものだと思う。しかし同時に、それは強固な意志がなければ作れない。ともかくも、この地球上に出現した奇跡を意識して新たな価値観を創造しない限り、今のままの人類に未来はない。地球温暖化も含めて、それは、多くの識者の共通した見方になって来た。

さて新しい価値観の模索において、私たちはどうすればいいのだろう。「ビッグヒストリー」を唱える歴史学者のデビッド・クリスチャンは、人間は言語の発明によって「集団的学習」の手段を手にしたことが、その後の人類の発展に寄与したとしている。しかし同時に、これを十分使いこなすことができるかとも言っている。その意味で教育もさることながら、これからメディアの責任がますます重くなって来るわけである。

国家権力が「経済大国と言う欲望の迷路」に入りつつある時、また、隣国との緊張を高めながら国粋的、軍国主義的になって行く時、メディアは国家権力をチェックできるか。また、メディアは新たな価値観を生み出すための国民的議論の場を提供できるか。その点、このところのメディアは権力からの様々な締め付けにさらされているのが心配ではあるが、メディアも「ビッグヒストリー」の奇跡の果てに生まれた「集団的学習」機能の一つであるからには、この奇蹟が持続するための知恵を国民とともに模索していく責任がある。その機能を応援したいと思う。

▼孫たちの世代にも豊かな社会が持続するために

私事で恐縮だが、今年4月には孫がまた一人増える。生まれて来る孫が、これから80年、90年と平穏で豊かな生活を送れるかどうか。今の日本は、膨大な財政赤字、少子高齢化と人口減、原発事故と放射能のツケ、隣国との緊張などなど、大いなる難問に直面しているが、私たちは今ある奇跡に感謝しながら、未来の世代のために先人が築いた社会的共通資本をより豊かにして次に残せるよう真剣に努力して行くべきだと思う。

（２０１５年1月1日）

（＊1）歴史学者のデビッド・クリスチャンはビル・ゲイツとともに、こうしたビッグヒストリーに相応しい価値観を学ぶ「ビッグヒストリー・プロジェクト」を指導している

人類の「英知」が試される

２０１６年の年が明けても世界は相変わらず不安定、国際的な緊張が収まる気配はない。中東ではサウジアラビアとイランが断交し、イスラム国（ＩＳＩＬ）への対応では足並みを揃えるアメリカ、ロシア、フランスなども、シリアの利害を巡って対立している。ヨーロッパが抱える難民問題もパリとドイツ国内でのテロや暴行事件が絡んで一層厳しくなっている。アジアでは大国意識に駆られる中国が南シナ海で勝手に領土を主張し、北朝鮮の水爆実験を巡る各国の動きもきな臭い。加えて、中国経済の先行き不安が引き金になって、世界は同時株安の様相である。日本もその大波をかぶっている。

こうした目の前の現象を追っていると、何やら世界が浮き足立っているように見えるが、これらの現象も大きく引いて見れば遠因は20世紀にさかのぼり、世界は未だに「20世紀の負の遺産」を引きずっていると見ることができる。20世紀に起きた２つの世界大戦と、その結果を受けての植民地の清算。東西冷戦構造とその終結。そしてアメリカ一極支配とその綻び。さらには、マネーゲーム化した資本主義によるバブルや格差

拡大の副作用などなど。

21世紀に入って、そうした歪(ひずみ)が徐々に拡大して、世界各地でたまったマグマが噴出し始めている状態なのかもしれない。その歪の大破断によって、世界が破局に至らないためにはどうすればいいのか。一つ一つは、いずれ詳しく書くべきテーマだろうが、年初でもあるので、いつもより時間軸を長く捉えて、21世紀の世界が直面する対立や危機の〝根底にあるもの〟が私たちに問いかけているものについて探ってみたい。

▼難民問題の引き金。「パリ協定」で地球温暖化は防げるか

10年前の2006年2月に、IPCC(国連の下部組織「気候変動に関する政府間パネル」)は、このままいくと地球の気温は今世紀末に最大6・4度高くなるという報告書を出した。気温上昇が4度になると、地球の気候は揺れ幅が大きくなって暴走し、元に戻らないと言われている。人類の破滅にもつながるこの地球温暖化を防ぐために、去年の暮に世界196の国と地域が参加して協議(COP21)、12月12日に画期的とも言える合意にこぎつけた。

その「パリ協定」では、「産業革命からの気温上昇を2度未満に抑える。(できれば)1・5度未満になるよう努力する」という目標が共有された。しかし専門家によると、これがかなりの難問なのである。というのも、産業革命からの100年で地球の気温は既に1度上昇しているので、2度未満に抑えるには、あと1度弱しか余裕はないからである。特に、世界が不安定化すると目標の達成はますます困難になる。

温暖化が進む世界では、干ばつや海面上昇によって大量の「環境難民」が生まれる。既に、2006年から大干ばつに見舞われたシリアでは、ユーフラテス川やオアシスが干上がって、内戦のせいだけでなく食糧不足に陥った大量の難民がトルコ国境に押し寄せる事態になった。それをロシアが(ISILも含む)反アサ

ド勢力を叩くという名目で空爆した結果、難民がギリシャ経由でヨーロッパになだれ込んだのである。現在の難民問題と地球温暖化は密接に絡んでいる。「パリ協定」は、世界が協力してこの温暖化に向き合うとしているが、様々な対立を抱える人類に希望は残されているだろうか。

▼格差を作って儲ける。暴走する資本主義を止められるか

経済学者、水野和夫(日本大学教授)は、既に500年の歴史を持つ資本主義は、今や地球上にカネ儲けの対象となる(植民地などの)〝周辺〟を失って終焉を迎えていると言う(「資本主義の終焉と歴史の危機」)。それが先進国でゼロ金利やゼロ成長が続く理由でもあるが、それにも拘らず、グローバルな「電子・金融空間」や、国の内外に無理に格差を作って、それをカネ儲けのための〝周辺〟にしているのが、現在の資本主義だと言う。これは必然的に飽和状態になってバブルを繰り返すことになる。

資本主義の終焉に気付かずに、経済成長の幻影を追っているのはアベノミクスだけではない。新自由主義経済を信奉するアメリカの資本家(シカゴ学派など)たちは、過去に南米チリや南アなどの経済混乱に乗じてマネーゲームを仕掛け、あるいは戦争や巨大災害をビジネスチャンスと見て群がった(＊1)。彼らは、新たなカネ儲けの〝周辺〟を作るために、敢えてテロや戦乱の温床となる格差の拡大を図る。表向きはきれい事を言いながら、裏では世界の安定を妨害するというから厄介だ。こうした「強欲な資本主義」の暴走を世界は止められるか。

▼テロの温床。西欧のダブルスタンダード

現在の世界秩序は、殆どが第一次、第二次の世界大戦を経て欧米によって作られたものである。例えば、中

東の国境線は第一次大戦中に、英仏露がオスマン帝国の分割を協議したサイクス・ピコ協定（1916年）によって決められた。そうした西欧国家の談合的な線引きによって、国家、民族、宗教が分断されて来たことが、現在の中東混乱の遠因でもある。イギリスなどは過去にイスラム王族を散々利用しながら何度も約束を反故にし、アラブ世界の怒りを買って来た。

冷戦終結後は、超大国アメリカが中東に介入。民主主義の大義を振りかざして、反米に傾くアラブの首領たちを次々に力で追い落とした。しかし、アラブの春（＊2）を見ても分かる通り、ここへ来て明白になったのは権力者を倒した後の政治的空白をアメリカは埋められないということである。表向きは民主主義や人権の大義を掲げても、裏で暗躍するのは軍部と兵器産業が結びついた軍産複合体で、結果、中東は兵器の一大消費地になった。そこにアラブの民衆を思いやる意識はない。この二重基準（ダブルスタンダード）的介入が、西欧に対する反感を生み、過激派とテロの温床にもなって来た。欧米は自分たちが招いた、この厄災をどう乗り越えるのか。

▼試される「人類の英知」。日本の貢献は？

人類が以上のような難問に直面しつつ地球温暖化を抑え、世界の平和と安定を維持して行けるかどうかは、途方もなく困難だ。しかし、だからこそ世界は「人類の英知」を結集しなければならないと思う。すでに問題意識の幾つかは明確になって来ている。その時、試される「人類の英知」は、さしあたって以下のようなものではないだろうか。

①　核戦争は人類の破滅につながる。その認識を世界で共有しつつ、何としてでも核につながる戦争を避けるにはどうしたらいいか。核兵器廃絶への道筋を作れるか。

② 第二次世界大戦の教訓のもとに作られた、国連をはじめとする各種の国際機関を再構築し強化できるか。
③ 強欲な資本主義を抑え、地球温暖化を防ぐための地球にやさしい経済システム、格差を少なくして社会の中間層を厚くするような穏やかな経済システムを作ることは可能か。
④ 地球にやさしい経済システムを可能にするエネルギー、資源、産業などの分野における科学技術的イノベーションを作りだすことができるか。
⑤ 異なる宗教間の対立を乗り越える宗教間対話のための国際機関を作ることができるか。

年初なので大きなテーマになったが、このような問題意識を持つ時、過去に自分たちが始めた戦争で破滅的な被害をこうむった日本やドイツは、過去の痛みを生かして誰よりもこうした「人類の英知」の構築に貢献できる国だと思う。特に日本には、科学技術立国としての力があり、融和的で平和的な宗教的環境という利点もある。過去の戦争がどのような道筋をたどって引き起こされたのか、常に歴史の反省に立ちながら、世界の平和に貢献する。そこで貢献できてこそ、日本は世界の真ん中で輝くことが出来るだろう。

（２０１６年1月12日）

（＊1）「ショック・ドクトリン（上下）」の著者、ジャーナリストのナオミ・クラインはこうした強欲とも言える資本主義を「惨事便乗型資本主義」と呼ぶ

（＊2）２０１０年から２０１２年にかけてアラブ世界で吹き荒れた反政府運動の騒乱。多くの国（チュニジア、エジプト、リビアなど）で独裁政権が倒されたが、その後も混乱が続いている

人工知能（ＡＩ）の衝撃と人類の未来

私も主催者の一人としてソウルや北京に出かけて観戦した「テレビ囲碁アジア選手権」（日中韓の放送局主催）では、天才的な棋士を何人も目にしたが、その一人が韓国のイ・セドル（33歳）だった。「囲碁の長い歴史の中で、もしかしたら一番かもしれない」（井山裕太名人）と言うくらいの世界最強の棋士の一人で、韓国のスター選手である。日本人棋士はこの10年で一回しか優勝していないが、彼は４回も優勝している。３月12日、そのイ・セドルが人工知能「アルファ碁（AlphaGo）」と対決して破れるという〝事件〟があった。専門家の誰もが、まだイ・セドルの敵ではないと思っていた人工知能が、開始から３連勝するという予想外の展開だった。

チェスや将棋と違って終局までの手順数がけた違いに大きい囲碁は、人工知能が追い付けない最後の砦（とりで）と言われて来たが、そこで人間が破れた衝撃は大きい。対局後、イ・セドルは「今日の敗北は私の敗北で、人間の敗北ではないのではないか」と言ったが、その衝撃波はこれから人間世界を深く揺るがして行くに違いない。日本の井山名人は「恐ろしいことが起こっている」と語り、依田紀基九段は「アルファ碁は明らかに強くなっている。それどころか、イ・セドルとの５番勝負でも一局ごとに強くなっているような気がする」と驚いた。今回は囲碁に限らず、人工知能（ＡＩ）が人類に与える衝撃について考えたい。

▼ディープラーニングが人工知能を進化させる

人工知能「アルファ碁」（英グーグル・ディープマインド社開発）の強さの秘密は、いま様々な分野で猛烈な勢いで進化している「ディープラーニング」という学習機能を取り入れたことにある。人間がコンピュータに一つ一つ対応ルールを教え込んでいた従来の人工知能(それは人間が教え込んだ以上には賢くならない)と違って、「ディープラーニング」の人工知能は、自分で学習しながら上達のルールを見つけ出し進化する。

これが可能になったのは、人工知能に人間の脳の神経系をモデルにした「ニューラル・ネットワーク」と呼ばれる学習アルゴリズム(計算方法、手順)を採用したから。達成すべき目標を与えて、それが出来れば報酬を与えるように条件づけると、人工知能は自ら学習しながら、より確実に目標に近づく方法を見つけて進化する。「アルファ碁」の場合、まず既存の10万の棋譜を入力し、さらに自己対局を3000万回もこなしながら勝利の法則を磨いて来た。その結果、「アルファ碁」は解説者たちも理解できない、定石を離れた手や、大局観の確かさを見せつけた。プロ棋士たちもさぞ驚いたことだろう。

▼適応世界を広げる人工知能

こうした「ディープラーニング」を組み込んだ人工知能は、他の分野にも適応世界を広げようとしている。例えば人工知能を搭載した車。壁や他の車にぶつかると罰が、速く走れると報酬を、と条件づけられると、最初はぶつかり合っていた何台もの車がたちまち複雑なコースをスムーズに走ったり、交差点で互いを認識しながら衝突しないように走ったり出来るようになる。将来、輸送や介護などのサービス業では、こうした人工知能によって人間の仕事の半分が置き換えられて行くという説もある。

人工知能を搭載して目的地まで飛んで行き、テロリストの顔を識別してピンポイントで殺す無人飛行機(ドローン)なども既に実用化されているが、兵器の無人化は「ディープラーニング」を組み込むことによって、さらに高度化して行く。アメリカでは、企業の決算報告などの経済記事を年間に1万2千本も書く人工知能が既に動いているという。このように人工知能が適応範囲を広げている背景には、コンピュータ技術の驚異的な進化があるのはもちろんだが、問題はこの先に何が待っているかである。

何しろ、難しい政策決定に関して「目的に合致した選択肢」を幾つか提案する人工知能の研究まで行われていて、こうなると将来は「ＳＦの世界」に出て来る人工知能(電子頭脳)のようなものにつながっていくだろう。手塚治虫の「火の鳥　未来編」には人間が伺いをたてる「ハレルヤ」という電子頭脳が登場する。こうした人工知能には、どのような目標や価値観を与えるかが問題になるが、やがて国別の目標を託された人工頭脳同士が戦う時代が実際に来るかもしれない。あるいは、映画「２００１年宇宙の旅」の「ＨＡＬ９０００」のように、その目標を逸脱して人間に反乱を起こす人工知能が出現しないとも限らない。

▼爆発する技術進化。人類は特異点に向かっている？

こうした人工知能の進化を「人類最悪の恐怖」(宇宙物理学者のホーキング)と危険視する見方や書物は沢山あるが、人類が人工知能と共存できるのかどうかの議論は、まだ深まっているとは言えない。何とか共存を図っていくためには、人工知能の将来像を見極めていく必要があるわけだが、その点で興味深い一冊の本がある。未来学者レイ・カーツワイルの「ポストヒューマン誕生」だ。これからの技術革新がどのような道筋をたどって行くのかを考える上で、示唆に富む本だと思う。

彼は本の中で、現在のコンピュータ技術を含めて、遺伝子工学、ナノテクノロジー、ロボット工学は今、近未来の「特異点(シンギュラリティ)」に向って急速に進化しつつあるという。特異点とは、技術的進化がある段階を過ぎると驚異的な立ち上がりを見せる段階のこと。技術進化の効率、加工技術、測定技術、コスト、開発知能などの「進化を加速させる様々な要素」が一斉に急速進化するために、特異点を過ぎると、こうした技術はほぼ垂直に性能を高めることになる。

この特異点の時期は意外に早く、今世紀の中ごろには12万円(千ドル)のラップトップコンピュータの処理能力は、地球上すべての人間の脳を合わせたよりも大きくなるという。そうなると、人間の脳や身体はこうした技術的進化を取り込みながら劇的に変化していき、その未来図は驚くべきものになる。まあ、確実にそうなるかどうかは分からないが、今の人類はその特異点の入り口に向かってスピードを速めていることは確かなような気がする。

この5年ほど、私は科学動画サイト「サイエンスニュース」の編集長として、最先端の科学ニュースを監修して来たが、苦労するのは個々のニュースがどういう意味を持っているかを見極めることだった。政府は盛んに「経済成長にはイノベーションを」と言うが、今の時代に相応しい「イノベーション」とは何なのか。あるいは、この科学技術がどこに向かうのか。特異点を含めた進化段階のどこに位置するのか。急速な技術変化に立ち会っている今は、常にこうした未来図を頭に入れながら(人工知能を始めとする)科学技術の問題を考えて行くべき時代だと思っている。

▼人工知能の厄介な問題。人間はその進化に追いつけるか

目覚ましい進化を見せる人工知能だが、一方で厄介な問題(弱点)も抱えている。一つは、人工知能が「ディープラーニング」で習得した方法論(プロセス)がブラックボックス化しているために、間違いを起こしたとしてもどこに間違いがあるのか、すぐには原因を突きとめられないということだ。普通の技術なら「ソフトの不具合」を見つけ出して改善できるが、それが難しくなる。自動運転などで事故を起こしても原因が突き止められないとしたら、かなり厄介だ。

もう一つは(それと裏腹のことだが)、人工知能が結果的に正しい(勝てる)判断をしても、人間にはその理

由が理解できないということである。例の「アルファ碁」が、その手をどうして差したかについて、プロ棋士たちが理解出来ないのと同じことだ。人工知能は、人間が与えた目標に忠実に進化を遂げるが、その進化のプロセスを人間が理解できるかどうかはこれからのテーマになる。それが間に合うかどうか。人工知能の進化は、私たち人類に一筋縄では行かない難しい問題を突きつけている。

（２０１６年３月22日）

メガシフト① 車が変る日

かれこれ半世紀前になるが、未来学者のアルビン・トフラー（１９２８〜２０１６）は「未来の衝撃」（１９７０年）という本を出版した。様々な分野での急激な変化を予測し、その大変化に私たちの社会がついていけるのか、その衝撃を乗り超えられるかという警鐘をならした。まだインターネットも現れていない時代に、高度情報網の出現やバイオテクノロジーの影響、そしてモノに関しての使い捨てやレンタル時代、携帯できる娯楽機器の出現などを予測したわけだが、当たっていることも外れたことも含めて、この半世紀、人類はトフラーの予測を超えるほどの大きな変化を経験してきたことは間違いない。

その半世紀を超えて私たちは再び、これまでの変化がむしろ平坦だったようにさえ感じられる「大変革の時代」を迎えようとしている。人工知能（ＡＩ）が社会の隅々に取り込まれる時代、遺伝子編集（ゲノム編集）技術が人間も含めた様々な生命に適用される時代、モノとモノがインターネットでつながり、その膨大な情報が新たな価値を生み出すビッグデータの時代。そして今年生まれた新生児の半分が１００歳を迎えるような「人生１００年時代」の医療の大変革。さらには、私たちの住む地球環境を取り巻く温暖化やプラスチックの問題などなど。これまで折に触れ取り上げてきたテーマでもある。

そうした巨大な変化を仮に「メガシフト」(100年に一度の大変革)と呼ぶとすれば、自動車産業もまたその「メガシフト」の入り口にあり、生き残りをかけて、ものすごいスピードでの模索が始まっている。その模索とはどういうものか。その結果、移動手段としての車はどうなっていくのか。また、そうした大変革の中で「自動車会社」は、この先どう生き延びていくのか。車については、全くの門外漢だが、最近話題になったトヨタとソフトバンクとの提携話や、新書「自動車会社が消える日」(井上久男著)などをもとに、「メガシフト」の一例としての「車が変わる日」を概観してみたい。

▼スマホ化とロボット化する車

今月4日、トヨタとソフトバンクは自動運転などを活用した移動サービス分野で提携する新会社「モネ・テクノロジーズ」を共同で設立すると発表した。出資比率はソフトバンクが50・25%、トヨタが49・75%。ソフトバンクが優位だが、それだけトヨタはソフトバンクが持つ通信技術の先見性を買ったということだろう。これからの車は、車載のコンピュータがネットワークにつながり、車の操縦ソフトをスマホのように更新したり、ユーザー同士の車が渋滞情報や危険個所の情報を交換して知らせあったりするようになるという。インターネットを介してネットワーク化されるこうした車を「コネクティッドカー」と呼ぶが、ソフトバンクはそうしたネットワーク技術で先行する。

また、来るべき自動運転技術においても、世界の自動車会社は今一気に、(人間が全く手を出さない)レベル4の自動運転の実現に向けて驀進しており、フォード(米)などは、2021年までにハンドルもアクセルもない完全自動化の車を発表するとしている。それには、車が感知する膨大なデータを瞬時に処理し、人間を介さない的確な運転を可能にする高速、大容量のインターネットの次世代移動通信技術(5G)が欠かせない。つまり、車は簡単に言えば「スマホ化(コネクティッドカー)」と「ロボット化(自動運転)」に向けてしのぎを削っているわけで、これに乗り遅れるとPCや携帯分野で日本のメーカーがガラパゴス化したような悲惨な運命が待っているらしい。

▼車の未来を決定する技術とビジネス展開イメージ

未来の車を決定づける「インターネット接続、自動運転、シェアリング(後述)、電動化」といった技術は、頭文字をとって「CASE」と呼ばれるが、そのうちの自動運転一つとっても、実に様々な先端技術が必要になって来る。例えば、幾台もの車載カメラが捉えた膨大な映像情報を処理する画像処理、それらを状況に応じて判断する人工知能(AI)、情報を高速処理する半導体、そして三次元地図などの技術である。これらは今や、とても一社で開発できる技術ではなくなっており、業種を超えた連携が既に始まっている。

同時に、こうした技術で可能になる自動運転車やコネクティッドカーをどのように未来の社会に実装して(生かして)行くかという模索も始まっている。トヨタとソフトバンクの新会社が模索していることでもあるが、それが新たなモビリティー(移動)社会への提案になる。例えば、過疎地への自動販売車や医療サポート、自治体と連携した自動運転バスや配車サービス。あるいは、ライドシェアと呼ばれる乗合自動車の配車など。自動車会社は車を製造販売するだけでなく、移動に関わるサービス全体を扱う企業、「プラットフォーマー」を目指している。

もちろん、インターネットの発達が(これまでになかった)新たなビジネスを生みだしたように、何千万台という車が集めるビッグデータを生かす「未来のビジネス」も視野に入っているに違いない。こうして自動車会社が大変革を迫られる中では、生産体系も(コンピュータ上で設計を完結する)「バーチャルエンジニアリング」を採用するなど、大きく変わらざるを得ない。しかし、「自動車会社が消える日」の著者は、こうした大変化に対して日本のメーカーは旧来のモノづくりの発想(現地現物主義)を捨てきれず、アメリカやドイツに大きく出遅れているという。この先、自動車会社はどう生き延びていくのか。

▼国と業種を超えた合従連衡が始まっている

今、世界の自動車会社は巨額の資金を投じて国を超えて、同じ自動車会社との提携による規模拡大、あるいは異業種の通信会社やAI関連会社などとの提携を競っている。トヨタは年明け以降、アマゾン(米)、ライドシェア会社のグラブ(東南アジア)、ウーバー(米)などと提携。一方のソフトバンクは、これらの他に滴滴出行(中国)などのライドシェア会社に1千億規模を出資。昨年には、(モノとモノをつなぐインターネット研究で最先端を行く)イギリスのARM・ホールディングスを3・3兆円で買収した。

一方で、これまで特定の自動車会社に従属していた部品メーカーも大規模な再編に乗り出しており、最先端技術を持ったコンチネンタル(独)などは、世界で2千万台規模への部品供給会社を目指している。それだけ、巨額の投資をしないと新しい技術開発ができず、それで世界標準を手にしようとすればするほど、会社は規模拡大に走ることになる。こうした中で、自動車会社と部品メーカーとの立場も変わってきており、1千万台規模のトヨタや日産グループ、フォルクスワーゲンなども企業合併と連携でさらに台数を増やし、2千万台規模の部品メーカーとWinWinの関係を築こうとしている。

▼資本主義はどこに向かうか

100年に一度の大変革とは言え、それに適応し生き残って行くのは大変である。一方でふと思うのは、企業が国を超えて合従連衡する、この多国籍化と大規模化の時代状況をどう理解したらいいのだろうかということである。トヨタもそうだが、ソフトバンクも国の基幹産業として国から相当な支援を受けつつビジネスを有利に展開し、その結果の巨額の利益を世界各国に投資している。そうなると、この先、こうした巨大化する多国籍企業と国の関係はどこに向かうのだろうか。これはグローバル化する巨大ＩＴ企業と国家との関係などにも通じる問題でもある。

技術革新の成果が社会に役立つのであればいいようなものだが、その利益は果たして従業員や、様々な恩恵を受けている社会に適切に還元されて行くのだろうか。あるいはその時、通信費や車の価格は適正に設定されるのだろうか。蚊帳の外から１００年に一度の大変革を見ているしかない立場だが、消費者の一員として、そうした巨大企業の利益の行方にもそれなりの関心を持っていくべき時代なのかもしれない。

（２０１８年10月10日）

メガシフト②　巨大国家中国

２０１７年時点でのアメリカのモノの貿易赤字は87兆円だが、そのうちの半分41兆円が対中赤字によるものだ。トランプ大統領は、この赤字問題と中国による知的財産権の侵害を盾に中国製品に２５００億ドル規模の関税を掛け、さらに増やそうとしている。後に引かない中国もアメリカからの輸入品の関税を増やす対抗措置を取り始めたが、これは単に貿易赤字だけではなく、その背景には世界の覇権を巡る米中の暗闘があると見る向きが多い。それほどまでに急激に世界の中で中国の存在が大きくなって来た結果だが、私たちにはそれが余りに急でなかなか実感できないのも事実である。

今、習近平の中国は中華人民共和国の建国100年の2049年に向けて、「中華民族の夢」実現のために、国を挙げて邁進している。アヘン戦争があった19世紀から、各国の侵略を受けた20世紀前半にかけて、中国は次々に国を食い荒らされた。これら過去に奪われた栄華を、経済面、軍事面における飽くなき挑戦で取り戻すのが「中華民族の夢」だ。そのために国内はもちろん世界中に様々な手を打っているが、そのあまりのすさまじさに唯一の超大国アメリカが警戒心を抱いたとしても不思議ではない。この中国の100年に一度の大変革「メガシフト」が世界と日本にどのような影響をもたらすのか、最近の情報をもとに概観してみたい。

▼次々と生まれる世界規模のニューエコノミー

輸出でアメリカと摩擦を起こしている中国だが、国内GDPの6割は内需で占める消費大国でもある。11月11日を独身の日に見立てた中国の通販サイト「アリババ」が、恒例の特別セールを行ったところ、一日の売り上げが過去最高の3兆5千億円に達したという。この売上高は、楽天の一年間の売り上げを上回っており、さすがは14億の人口を抱える巨大国家・中国の底知れないパワーである。この売り上げの原動力には、スマホ決済(キャッシュレス化)の浸透、事前から個人の消費傾向を読み解く人工知能(AI)の導入、10億個と言われる商品の宅配サービスなどが平行して進化していることが上げられる。

中国は、キャッシュレス化で日本などのはるか先を行く世界トップ。同じようにスマホ決済を武器にする車の相乗りサービス(ライドシェア)では、中国最大の滴滴出行(デイデイチューシン)が登録者数4億人、登録ドライバー1700万人で、アメリカのウーバーを抜いている。このほか、グーグルを追い上げる中国の検索エンジン「百度(バイドウ)」、自転車シェアサービスの「モバイク」、フェイスブックを急追する「テンセント」など、中国のいわゆる〝ニューエコノミー〟は、IT技術の進化と巨大市場を背景に急成長し、世界にも進出し始めている(「中国新興企業の正体」)。

▼夢に向かって驀進する中国

一方の習近平政府は、中国国内で様々な博覧会を開いて大国としての存在感を世界にアピールしている。11月5日から上海で開かれた「国際輸入博覧会」では、習近平が「中国の輸入は今後15年で40兆ドル、450０兆円に達する」と、世界に市場開放を強くアピールした。この博覧会には日本から450社、アメリカからも大手180社が参加した。時を同じくして広東省珠海市では「中国国際航空宇宙博覧会」が始まり、中国は新型ステルス戦闘機のモデルや有人宇宙ステーションのモデルも展示。「宇宙強国」を目指す技術力を誇示した(毎日、11／7)。

こうした動きの推進力になっているのが、習近平が掲げる「中国製造2025」計画。2025年までに中国を世界の製造強国の仲間入りをさせ、2049年にはトップ級にする。IT、ロボット(AI)、航空宇宙、交通、新素材、バイオなどあらゆる分野で、世界の最先端産業の90％を支配しようとしている(ペンス米副大統領演説、後述)。自動運転車の開発においても中国は貪欲だ。上海北西の広大な一角に、街並みや道路、可動式の人形などを備えた人工都市を建設し、走行テストを繰り返している。さらには、その成果を山手線の内側の1・5倍の広さまで拡大し、自動運転に関する交通システム全てで世界をリードする計画という。

▼警戒を強めるアメリカ

科学研究費の面でも、大学運営費が毎年1％ずつ減っている日本(第2章「科学技術立国の揺らぐ足元」)と違って、中国はこの10年で2倍以上に増えてアメリカに迫っており、その豊富な資金で世界の研究者を引きつけている。そのためか、アメリカが共同研究の相手国に選ぶ国は、殆どの分野で中国がトップにある(日本は5位から13位)。一方で、こうした中国の急伸に警戒心を強めているのが、トランプ政権である。このまま放置すれば、アメリカは最新の技術も人材も知的財産もすべて中国に奪われてしまう。その強い警戒心からの逆襲が始まっている。

その象徴的な演説が、10月4日にアメリカ、ハドソン研究所で行われたペンス副大統領の演説である。そこでは近年の中国の行動に対する全面的な批判が展開されていて、米中の新たな冷戦時代の幕開けかと世界に緊張が走った。ここに書いたような中国の最近の躍進ぶりを「表の顔」とすれば、ペンスは(アメリカ政府から見た)「裏の顔」を列挙しながら国民に警戒を呼びかけた。以下、ネット上の全文からその要点を拾って列挙する。

・自由で公正でない経済政策

過去17年間、中国のGDPは9倍に成長し、世界で2番目になったが、その大部分はアメリカの投資による。同時にそれは中国共産党による、関税、通貨操作、強制的な技術移転、知的財産の窃盗、外国人投資家にまるでキャンデーのように手渡される補助金など、自由で公正な貿易とは相容れない政策で行われてきた。中国は盗んだこれらの民間技術を大規模に軍事技術に転用している。

・監視国家・中国

中国は他に類を見ない監視国家を築いており、時に米国の技術の助けを借りて、ますます拡大し、侵略的になっている。2020年までに、中国の支配者たちは(ビッグデータやAIの技術を使って)人間生活の事実上全ての面を支配することを前提にした、いわゆる「社会的信用スコア」を導入、国民を監視下に置こうとしている。国内のキリスト教、イスラム教、仏教への弾圧も激しくなっている。

・外国を支配下に置く借金漬け外交

中国は今、アジアからアフリカ、ヨーロッパ、さらにはラテンアメリカ政府へのインフラローンに何十億ドルもの資金を提供している。その借金のために例えばスリランカは港の権利を中国に取られ、ベネズエラは500億ドル以上の債務を抱えて苦しんでいる。

・アメリカ国内への巧妙な浸透と工作

中国がアメリカの民主主義に干渉していることは間違いない。中国共産党は、米国企業、映画会社、大学、シンクタンク、ジャーナリスト、地方、州、連邦当局者に見返りの報酬を与えたり、支配したりしている。(中間選挙に関して)米国人の対中政策認識を変えるために、秘密工作員などを動員して米国内でプロパガンダ放送を流している。米国内の中国系ラジオやテレビも同様。また、アメリカのビジネスリーダーにもトランプの政策に反対するように働きかけている。これらは、我々の諜報機関が評価した事実である。

・アメリカの軍事的優位を脅かす意図

中国は現在、アジアの他の地域を合わせた軍事費とほぼ同額の資金を投じて、アメリカの陸、海、空、宇宙における軍事的優位を脅かす能力を第一目標としている。「軍国主義化する意図はない」と言いながら、南シナ海の人工島に高度な対艦ミサイルと対空ミサイルを配備した。しかし、我々は威圧されたり、撤退したりすることはない。

▼どうなる？ 米中競争の新時代

ペンス副大統領の演説は50分。中国批判を展開しながら、「中国との関係が公平、相互、そして主権の尊重が基礎となるまで、我々は態度を緩めない」と締めくくった。中国に警告を与えるこうした姿勢は、今のアメリカ国内でも共感を持たれつつあり、この先のトランプ政権の基本姿勢になっていくものと思われる。100年に一度の大変革の中にある中国とアメリカの関係は、より緊張をはらんだものになっていくわけだが、この先これがどうなるかについては、フランスの思想家ジャック・アタリが面白い見方をしている(「新世界秩序」)ので、それを次回に書きたい。

(2018年11月15日)

どうなる？ 米中対立と日本

前回(「メガシフト② 巨大国家中国」)で紹介した、ペンス副大統領の中国批判は、半分は当を得ていると思うが、中国からすると半分は「アメリカも同様なこととやって来たではないか」と言うようなものだ。例えば、戦後のアメリカは情報機関CIAを使って敵対的な国の政治に深く関与し、時にはクーデタを仕掛けたり、暗殺などにも手を貸したりしてきた。援助による支配もプロパガンダもお手の物である。軍事的にもアメリカは、中国を目と鼻の先で取り囲む韓国、日本に基地を置き、台湾、フィリピンを手なづけて、蓋をするように中国を押さえ込んで来た。仮にこれが逆ならアメリカも黙ってはいないはず。それが覇者の覇者たる所以なのである。従って、ペンス演説に対しては中国の方も黙ってはいない。アメリカの中間選挙に干渉していると言う批判に対しては、中国外務省の華春瑩《かしゅんえい》報道官が「まったく雲をつかむような、ありもしない捏造《ねつぞう》だ」と反発。中国が経済支援を行う相手国を債務漬けにしているとの批判に対しても、「中国の援助は開発や生活の向上に集中し、条件付きでもないため、多くの国から広く歓迎されている」としたうえで、「中国の支援のために債務の罠に陥っている国はない」と反論した(王小竜国際経済局長)。

こうした米中の激しい対立は、11月の東南アジア諸国連合(ASEAN)やアジア太平洋経済協力会議(AP

EC)にも波及し、18日閉幕のAPECでは初めて首脳宣言を断念する騒ぎに陥った。この事態が、台頭する中国の挑戦によって引き起こされる「世界の覇権を巡る米中の暗闘」だとすると、この対立はこれから何十年にもわたって続くことになる。両国の間にあって日本を始めとする世界各国が翻弄されるわけだが、この暗闘はどういう結末を迎えるのか。中国は世界一になれるのか。日本はどのようになって行くのか。前回にも触れた、ジャック・アタリの「新世界秩序」から参考になる部分を取り上げてみたい。

▼思想家ジャック・アタリの「新世界秩序」

1943年生まれのフランスの経済学者で思想家のジャック・アタリは、「ヨーロッパを代表する知性」として常に発言が注目されてきた。1992年のEU成立の影の立役者であり、現在のフランス大統領マクロンの生みの親とも言われる。あの「サブプライムローン問題」や「世界金融危機」を予言した人でもある。彼の新著「新世界秩序」は、その副題が「21世紀の〝帝国の攻防〟と〝世界統治〟」とあるように、前半は過去の帝国による覇権の歴史(武力と宗教による統治から資本主義による世界秩序へ)を扱い、さらに近代のイギリスからアメリカへの覇権の移行と、21世紀のアメリカの緩やかな衰退を予測している。

後半では、絶対的権力者のアメリカが衰退し、無政府化しカオス化する21世紀の世界を扱う。そこは、新たな金融危機、人口爆発、難民・移民問題、地球規模の環境破壊、地域紛争の多発、排他的な原理主義などの様々なリスクに満ちている。これらのリスクは往々にして、地域の紛争までが一挙に地球規模にまで拡大する「グローバル・システミック・リスク」と言われるものだが、今の世界では誰もこれを抑止する能力がないと警告する。

こうした世界的な破局を避けるためにも、人類が知恵を出し合い、これまであった様々な世界システムを統廃合しながら、世界を統治する新たな「世界秩序」(世界政府)を作ることを提唱し、その統治の姿まで提示する。さすがは世界の知性による壮大な物語だが、アタリはその過程で米中など大国の未来を予測する。

▼緩やかに衰退していくアメリカ

21世紀、現在の覇者であるアメリカ、そして中国やロシア、インドなどの大国はどうなるのか。アタリはまず、帝国の条件として「その時代で最も重要な(軍事的、商業的)コミュニケーション・ネットワークを支配する手段を備えていること」を上げ、この点でアメリカは、これからも世界一の大国ではあり続けると言う。世界最大の軍事力を保持し続け、自国が発行するドルが世界の主たる通貨であり続ける。また世界中の最も才能ある人々を引きつけ、今後も技術革新、研究開発、メディア、デジタル・ネットワークの中心であり続けるからだ。

ただし、長期的視野に立った場合、こうしたことはアメリカの衰退を防ぐのに役立つとは言えない。何故なら、相対的に見ると他の国の経済成長がアメリカを上回るからだ。人口でもGDPでも世界に占めるアメリカの比率は低下していき、防衛費の対GDP比も下がらざるを得ない。さらに、失業や不平等の増大、インフラの老朽化、社会福祉の機能不全によって、世界はもはやアメリカを理想のひな形と考えなくなる。アメリカは西ローマ帝国が滅びた後も千年生きながらえた東ローマ帝国などのように、大国ではあるが、緩やかに衰退していくだろう。

▼巨大国家・中国の限界

一方の中国はどうか。中国の軍事力は今後、飛躍的に増大するだろう。またGDPにおいてもアメリカと肩を並べるくらいまでにはなる。但し、一人当たりの所得はアメリカ人の半分にしかならない。もし、中国国民全員が今のアメリカ人が消費しているのと同じだけの石油を消費する日が来るとすれば、中国は現在の世界生産量の130％を手に入れる必要がある。食料について言えば、世界の穀物生産量の3分の2、食肉生産量の5分の4を独占する必要がある。これは膨大な量で、果たして可能だろうか。しかも、中国が抱えるひずみもまた巨大である。

一つは高齢化。2020年には高齢者が2億5千万人にも達し、2050年には3分の1が60歳以上になる。そのために財政を社会福祉や年金などに振り向けなければならなくなる。また国内が民主主義に変化していくにつれ、社会的対立や動揺が起きて成長を鈍らせるだろう。その結果、中国は世界一にはなれず、今後も暫くは地域的な大国に止まるだろう。何より、中国はいまだかつて(世界のシステムを構築するような)〝普遍主義的な資質〟を発揮したことがないからだ。

もしいつの日か、中国が世界第一の大国になる日が来ると仮定しても、この地球を統治するだけの手段を持つのには、ほど遠いだろう。中国自身が抱える問題が既にかなりの規模であるのに、そこにさらに地球が抱える膨大な問題が加わるのだから、到底、手に負えるものではないからである。誰もが絶対権力を握れない21世紀の世界は、ますます無政府化し、カオス化し、「グローバル・システミック・リスク」にさらされていく。だから世界は力を合わせて、世界統治機構(世界政府)を作るべきだとアタリは主張する。

▼日本は大国であり続けるが

一方で、日本についてのアタリの予測はそっけない。現在の日本は、将来的な技術の最重要部分を握っていて、科学と経済の分野では非常に大きな強国であり続けてはいるが、巨大地震を経験し、膨大な債務が重い負担としてのしかかり、隣の中国に圧倒され、極めて低い出生率によって弱体化している。今は、世界統治において、ほとんど何の役割も果たすことが出来ないでいると手厳しい。そう指摘したうえで、（かつて世界2位だった）将来の日本は、アメリカ、中国、インド、EUに続く大国としてあり続けるだろうと言う。人口減少、高齢化、財政赤字、そして（原発事故を含む）巨大災害などの弱点を抱える日本への評価は厳しくて当然だと思うが、問題は今の政権がこうした次世代に関わる重要課題を直視しないことである。別のところで、アタリは「（こうした事態に対して）政権政党がとるべき態度は、次世代に奉仕することに尽きる。それが私たちの自身の幸福にもなる」と意味深いことを書いているが、アベノミクスの金融緩和で金余り現象を作りながら、次世代に多大な借金のツケを回すような日本の今の政治のありようは、危ういの一語に尽きる。

（2018年11月25日）

メガシフト③　ゲノム編集

中国の研究者が人間の受精卵にゲノム編集技術を適用して、双子の女児を誕生させたというニュースが、世界を震撼させている。研究者の賀建奎（南方科学技術大学副教授）が出席した「ヒトゲノム編集に関する国際会議」（香港、11／27）では、各国の研究者から批判と疑義が集中したが、肝心の研究内容がよく分からない。彼は生まれる子どもが父親のエイズウイルスに感染しないように、ゲノム編集技術を使って、感染に関わる遺伝子を除去したと主張するが、それは必要不可欠な方法だったのか。関係する大学も病院も事実を把握していない上に、研究者は生まれた女児についてもプライバシーを盾に公表を阻んでいる。

どうも、これまでもしばしばあったような、功名心にかられた研究者のスタンドプレーのような気がしないでもないが、仮に事実とすると、倫理的な手続きを踏まない極めて違法性の高い「勇み足」的な実験だ。中国科学技術省は、「学術界が守るべき道徳倫理の一線を踏み越え、法規や条例に公然と違反した」とし、彼の研究活動を停止するとともに事実関係を調査した後に、処分すると言う(＊1)。日本では、日本ゲノム編集学会、医師会、日本医学会が批判声明を出すなど、世界中から非難が巻き起こっている。

▼ゲノム編集。人がヒトを加工することは許されるか

一方の彼は、YouTubeの動画などで、「研究が議論を呼ぶことは理解しているが、この技術を必要としている家族のためなら、進んで批判を受け入れる。この成功を誇りに思っている」と確信犯的に主張している。しかも現在、2例目が初期妊娠中だとも言う。彼が人間の受精卵に施したゲノム編集技術については後で書くが、この技術は従来の遺伝子組み換えと違って極めて正確に遺伝子を破壊したり、ほかの遺伝子を組み込んだりできる最新の技術で、人がヒトを加工するという全く新しい扉を開くものと言える。

ゲノム編集は、既に動植物には応用され始めているが、仮に人類がこの技術を欲望のままにヒトの受精卵に応用すれば、突然変異人間(ミュータント)や、望むように外見を作り替える「デザイナーベビー」、あるいは運動や知能などの「超人」を生み出すことも可能になり、まるでSF映画のような世界になりかねない。従って今はまさにパンドラの箱が空いた状態、100年に一度の「メガシフト」の時代なのだが、人類は果たしてこの技術をコントロール出来るのか。過去に制作した番組の経験などを踏まえて、2つほど問題点を提起してみたい。

▼「誕生革命の衝撃～いま赤ちゃんに何が？」その後

私たちが、ヒトの誕生の現場で起きている様々な試みを番組で扱ったのは、34年前の1984年。NHK特集「いま生命は」シリーズの1回目「誕生革命の衝撃～いま赤ちゃんに何が？」だった。その中で私は、体外受精した人間の受精卵を女性の胎内に戻すための様々な操作を顕微鏡下で撮影した。場所は、フィラデルフィアのペンシルバニア大学。検査技師が、培養された人間の受精卵をシャーレの中でごく細いスポイト状のガラス管で吸い込んだり、吐き出したりさせて、受精卵の周囲にゴミのように着いている保護膜を取り除いていく。

直径10分の1ミリの小さな受精卵は、すでに細胞分裂を始めていて、顕微鏡で拡大すると、何となく胎児の姿を想像させる。私は、人間が人間の命でもある受精卵を、シャーレの中でまるで物体のように扱うその作業に衝撃を受けたものである。女性の胎内で行われていた受精という神秘の過程を、試験管やシャーレの中で行い、培養して胎内に戻す。この体外受精の技術が確立すると、次に人間が考えたのは、その受精卵を他の女性の胎内に戻して赤ちゃんを産んで貰う代理出産(借り腹)だった。当時はまだ構想段階でタブー視されていた借り腹だが、これが今では常態化している。

2年ほど前に見たドキュメンタリーでは、中国出身の実業家が中国から(子宮に難があって妊娠できない女性などの)富裕層の希望者を募って、アメリカで代理出産させるビジネスを展開していた。私たちが番組後に出版した本「いま、生命《いのち》を問う」のあとがきで、プロデューサーの須江誠さんは「今の科学技術は極めて高度化し、直接の専門家でないと理解しにくく、密室化しやすい。しかも、元来、専門家は〝技術〟をいったん手にすると、さらにそれを進めて応用したい、実用化の道を広げていきたいという衝動を抑えるのがむずかしい傾向を持っている」と書いているが、その通りの展開になっていることが分かる。

▼神の領域に手を染めるゲノム編集

そして、その延長線上にあるのが30年後のゲノム編集である。それは体外受精の技術の上に成り立ってはいるが、さらに受精卵内部のＤＮＡにまで手を加える点で全く違っている。私が編集長として関わった、ネットの動画サービス「サイエンスニュース」（２０１７年）では、２回にわたってこの最新技術の可能性と課題を取り上げたが、複雑な技術をいかに分かりやすく伝えるかに苦労した。２００５年以降に発見開発されたゲノム編集技術には幾つかの方法があるが、今回中国で使用されたのは最も簡便な方法とされる「クリスパー・キャス９」と言われるものである。

ハサミとして機能する人工酵素の鎖が、エイズ感染に関わるＣＣＲＳという遺伝子に正確に取り付いてそれを破壊する。これをノックアウトというが、ゲノム編集は、いわばハサミと糊の役割をする酵素を使って、正確に狙った遺伝子を破壊したり、そこへ別の遺伝子を組み込んだり（ノックイン）出来る。従来の「遺伝子組み換え」が、どこに遺伝子を組み込めるか偶然任せだったのに比べ、正確かつ簡便な技術なのである。既にヒトの全遺伝子の読み取りは終わっているので、不都合な遺伝子を除去したり、別な遺伝子を組み込んだりすれば、遺伝病の治療はもちろん、肌の色、目の色なども自在に変えられることになる。

動植物に対しては、この技術を利用して色が黒くならないマッシュルームやアレルギー源のない卵を産む鶏などが作られているが、これを人間に応用するとなると、まだまだ未解明の部分が多い。正確にターゲット遺伝子が除去できるのか、また、その遺伝子を除去したとして、影響がまわりの遺伝子に及ばないのか。あるいは、特に細胞分裂が進んだ段階での応用は、その効果が全細胞に行き渡らず、まだらになる（これをモザイク化という）心配もある。人間の場合、影響は何世代にもわたって続くだけに、各国は受精卵の研究そのものは認めても、それを母体に戻すことを禁じて来た。

▼必要な「倫理と哲学」と「情報の共有」

しかし、エイズ感染の予防のために行った今回の例のように、様々な遺伝疾患の治療を口実に、その突破口が開けられる恐れは十分にある。技術応用の衝動にかられがちな研究者に、どこまで歯止めがかけられるのかが、この先も大きな課題として人類にのしかかって来る。それを少なくとも可能にする一つの方法は、各国が一致して厳しい基準を設けることだが、そこで問われるのは、単に技術のリスク評価だけではないはずだ。ドイツが原発を「非倫理的エネルギー」と認めて脱原発を決めたように、ゲノム編集技術の評価にも、目先の有用性や経済論理を超える「高い倫理性と哲学」が必要になってくるだろう。

さらに言えば、これらの情報を研究者の密室に閉じ込めるのではなく、国民全体で共有して行くことである。そのためには、メディアも含めて情報共有の様々なチャンネルを充実する必要がある。これからの科学技術はますます難解になるが、それだけに、その扱いを一部の研究者(あるいは団体、学会)にだけ任せるのではなく、メリットもデメリットも含めてわかりやすく国民すべてに伝えて行く努力を怠ってはならないと思う。

(2018年12月3日)

(＊1) 2019年、彼は罰金と懲役3年の実刑判決をうけた。

民族の厄介で危険なDNA

先日、図書館からドイツ生まれの小説家で、イギリスに移住したW・G・ゼーバルト(1994～2001)の小説「移民たち　四つの長い物語」を借り出して読んだ。いずれも故郷を離れ異国に移り住んだ人や家族の物語だが、ゼーバルトは老境に入ってから異郷で心が壊れて精神病棟に入ったり、自死したりした移民たちの過去をたどってその心の軌跡に分け入っていく。中でも第二次世界大戦が始まる頃に、ドイツで迫害に会い故国を脱したユダヤ人たちの物語が、そうした微細な事情に疎かった私にある種の思いを呼び起こした。物語の中の一人は、著者ゼーバルトの子ども時代にユニークで卓越した授業をしてくれた元小学校教師の話である。

▼ゼーバルトの小説「移民たち」

その元教師は幼い時から教師になることを夢見て努力し、ようやく教職を得るが、父が2分の1ユダヤ人で、自分にも4分の1ユダヤの血が流れているというだけで、街の人たちから様々な嫌がらせを受け、ようやく得た教職を追われる。2分の1ユダヤ人の父と結婚した母も商店からものを買うことを拒否されたりして、追い詰められていく。元教師はユダヤ人の女性と恋に落ちるが、その恋人はやがて収容所送りになって殺害される。心に深い傷を抱えた元教師は故郷を離れて生き残り、戦後、かつて学校があったドイツの街に戻るが、街の人々はこうした過去の一切を秘密にして口をつぐんでいる。74歳の彼は、やがて故郷の鉄道線路で自死する。

もう一つは、子どもの時にドイツを脱出した画家の話。英国マンチェスターの暗い倉庫に閉じこもって、描いては絵の具を削ると行った不思議な創作をしている老画家の過去に作者は惹かれる。ユダヤ人画商の家に育った彼は、戦争の足音が近づいているのに(多くのユダヤ人と同じように)不安を抱えたまま日常を過ごしていた。いよいよとなって一家は脱出を決意するが、時既に遅かった。少年だけが飛行機に乗り、「後から行くから」と言った両親はその直後に捕らえられて収容所送りになり、そこで殺害された。彼は全てに心を閉ざしてイギリスで生きていく。その画家の抜け殻のような最後を作家が病床に見舞ったところで小説は終わる。

▼ヨーロッパに巣くうドイツに対する警戒感

この沈鬱な小説は、私に2つのことを思わせた。一つは、今、ヨーロッパには何百万という移民が押し寄せているが、そうした移民たちも故国を脱出するまでには、想像を絶する過酷な運命を経験して来に違いない。その経験は、これから何十年と移民たちの心に深い傷跡を残して行くだろうが、ヨーロッパは、そうした移民たちのトラウマにきちんと向き合って行けるのだろうか、ということ。もう一つは、ドイツが過去に犯した罪の重さである。それは、ちょっとやそっとの反省で消えるものではなく、今も抜きがたい警戒心をヨーロッパ諸国に残しているのではないか、ということである。

そんな思いと改めて結びついたのが、フランスの歴史思想家のエマニュエル・トッドのインタビュー集「ドイツ帝国が世界を破滅させる」である。そこには、彼の過激なまでのドイツに対する警戒感が表れている。EU成立後のドイツはEUの中心となって、ポーランドなど東欧諸国のEU加盟を推進し、域内労働者の「移動の自由」を利用して、かつての共産圏からの安い労働力を自国経済に取り込んで、めざましい経済成長を成し遂げた。ドイツ経済界は、とことんまで輸出にこだわって他国経済を踏み台にしながら、一人勝ちの状況を作っているとトッドは言う。

▼ドイツの民族としての危うさ、厄介で危険なDNA

その強さをドイツ国民もまだ十分自覚していないと言うが、トッドはそうした「十分自覚されていない強国としてのドイツの危うさ」を警告する。例えば、ドイツの社会文化は不平等的で、平等な世界を受け入れることに慣れていない。ドイツ人たちは、自分が一番強いと感じるときには、より弱い者が服従するのを当然と考えがちだ(服従の拒否を受け入れることが非常に不得意)。そして歴史上、ドイツは重要なポジションについたときに変調を来たす、とも指摘する。こうした厄介で危険な側面をもつ〝ドイツ民族のＤＮＡ〟、すなわち文化的特徴とは何なのか。

トッドによれば、ドイツというのは計り知れぬほどに巨大な文化だが、人間存在の複雑さを視野から失いがちでアンバランス故に恐ろしい文化でもある。ドイツは、子どものうち一人だけを相続者にする権威主義的な家族システム、直系家族を中心とする特殊な文化に基づいている。そこに、ドイツの産業上の効率性、ヨーロッパにおける支配的なポジション、同時にメンタル的な硬直性も起因している。しかし、平等を基本とするフランスなどは、このドイツ的性格の前に全く無力で、かえってドイツを(自分たちが偉大だという)錯覚の中に追いやってしまい、それがヨーロッパ全体にドイツに対する反感を拡大させてしまう、と言う。

いま、財政赤字に悩むヨーロッパ諸国が、一人勝ちのドイツの主導で厳しい状況に陥っているのを見るにつけ、トッドは問わざるを得ない。「ヨーロッパは20世紀の初め以来、ドイツの覇権の下で定期的に自殺する大陸ではないのか」と。実際、ドイツ社会が大きなストレスにさらされたときに、権威主義的で不平等な文化の国であるドイツは、ヒトラーを登場させた歴史を持つ。トッドの頭の中には、近年ドイツで台頭している極右勢力への警戒感もあるのだろうが、ドイツを全体主義に導いたナショナリズムの記憶が、戦後70年以上経過してもヨーロッパに生々しく残っているのに改めて驚く。

▼ドイツと日本の類似性

トッドは一方で、ドイツと日本の類似性についても語っている。日本もドイツと同じように直系家族の文化で、長年の間に培った権威、不平等、規律と言った諸価値(つまり、あらゆる形における階級的構造)を、現代の産業社会・ポスト産業社会に伝えた。この点で、日本とドイツはまれに見る類似性を持っているが、日本文化がドイツと違う点は、他人を傷つけないようにする、遠慮するという願望に取り付かれていることだと言う。これは、彼が東日本大震災後に日本を訪れて、日本の伝統社会の様々な担い手が、機能不全に陥った政治制度に代わって、水平に連携しているのをみて得た感想に基づいているらしい。

しかし、日本の直系家族の権威主義的な文化的DNAは、そう簡単に忘れ去れるものかどうか。例えば、戦前の日本は天皇を中心とした家父長的な縦社会の権威主義を国民に強いながら戦争に突入し、アジア諸国に多大な傷跡を残した。そのおぞましい残虐行為は、かつて立花隆が紹介した「日本軍占領下のシンガポール～華人虐殺事件の証明」などに生々しく書き残されている。今の日本はそれをすっかり忘れているが、やはりその根元には、戦争に特有の問題だけでなく、そこに容易に落ち込んでしまう民族の厄介で危険なDNAが働いていたと思わざるを得ない。日本は忘れているかも知れないが、今のアジアはその記憶と警戒心を拭い去ってくれているのだろうか。

▼レーダー照射事件の応酬に見る日本のDNA

今回のレーダー照射事件(*1)に端を発する日韓の応酬の場合。もちろん、この事件は韓国側に発端があったと思われるが、この間、日韓の応酬に伴って日本の右翼誌がヒートアップし、「やられたらやり返せ!」と書き、自民党の政治家がいきり立って「経済制裁だ、断交だ」と政府を突き上げる姿を見ると、この厄介で危険なDNAは戦後70年経っても変わらないものだと思う。むしろ、戦後の反省の時期を過ぎ、世代が代わったところで日本でもドイツでも再び息を吹き返しているようにも見える。私たちは、その厄介で危険なナ

ショナリズムというDNAを自覚的に乗り越えられるだろうか。（２０１９年２月２日）

（＊１）２０１８年12月20日、韓国の駆逐艦が能登半島沖の日本海で、日本の哨戒機に火器管制レーダーを照射した事件。日韓の主張がぶつかり合った

ＧＡＦＡが世界を制覇する日

インターネットが日本に普及し始めた１９９５年頃、私は世界のインターネット産業やＩＴ企業が今のように巨大になるということがなかなか想像できなかった。仮にインターネット産業が巨大になっても、従来の産業をネットに置き換えるだけではないかと、「山より大きなイノシシは出ない」などと言ったりした記憶がある。しかし、ご存じのように、インターネットは社会や産業のあり方を根底から変え、仕事の仕方も変え、何より経済規模そのものを拡大させる大きな原動力となった。インターネットは山より大きなイノシシになったのである。

私たちはそれでも、時代に遅れまいとして放送70周年記念事業の一つとして、インターネットを使ったＮＨＫ初の試み「ＮＨＫボランティアネット」を立ち上げたり（１９９５年）、当時としてはかなり意欲的なインターネット政策を作って役員会に提案したりした（２０００年）。しかし、最近のＮＨＫのネット同時配信と同じで、この時も民放や新聞に「民業圧迫」や「肥大化」という理由で反対され頓挫した（＊１）。現状にあぐらをかいてネット進出に反対した既成のメディアは、結局は時代に乗り遅れたわけだが、この傾向は他の産業でも同じだった。

その間に、新興のGAFA（グーグル、アップル、フェイスブック、アマゾン）が生活の隅々に浸透し、暮らしを大きく変えるまでに巨大化した。今や全世界の人々がスマホを使い、グーグルの検索エンジンを使って調べ物をし、FBやインスタグラムで仲間とつながり、ネットが提供するニュースや広告を覗き、欲しいものがあればアマゾンで注文する。GAFAはメディアだけでなく、既存の小売業、広告業、IT製品の製造業などを根底から揺さぶって来た。この先、この巨大IT企業はどこに向かうのか。人類に幸せをもたらしてくれるのだろうか。

▼人間の本能に訴えながら急成長したGAFA

「GAFA～四騎士が創り変えた世界」の著者、スコット・ギャロウェイ（NY大学教授）によれば、GAFAは人間の本能に訴える形で成長してきた。例えばアマゾンはより多くのものを出来るだけ楽に集めようとする我々の狩猟採集本能に訴え、アップルは、テクノロジー企業から高級ブランドに転換することによって、その製品を持つことが性的魅力を高めると訴える。グーグルはその膨大な知識量によって私たちの脳が前より賢くなったと思わせ、FBは自分が他者に受け入れられ、愛されているという感情に訴えると言う具合だ。

その結果、アマゾンはアメリカ最大の小売業に急成長し、創業者ジェフ・ベゾスの資産（14兆円）は今や世界第一位である（＊2）。FBは世界の12億人に毎日使われ、世界の20億人が毎日グーグルで検索している。その企業価値はとてつもなく、株の時価評価額も、2017年でアップルが8000億ドル（88兆円）、アルファベット（グーグルの親会社）が5900億ドル（65兆円）、アマゾンが4300億ドル（47兆円）、FBが4100億ドル（45兆円）もある。日本最大のトヨタでも25兆円（2020年）だ。しかも、これらの巨大企業はさらに成長を続けている。

▼世界制覇を目指すGAFA

アマゾンの野望はとどまるところを知らない。単なる小売業だけでなく、ウェブサービス（AWS）でネットを使った様々なビジネスを提供し、ドローン、航空機、海上輸送にも進出して物流を支配し、映画やドラマ製作にも乗り出して最大級のメディア資産を有する企業にもなろうとしている。アマゾンブランドの製品を売り込み、最近では各地の小売店舗も買収して、そこを商品に触れる店舗だけでなく、配送の拠点、倉庫にも当てようとしている。徹底したロボット化、AI化も進めている。その目指すところは、利益総取りの「世界制覇」である。

FBもグーグルも同じように関連業界を統合しながら、より巨大化を目指しているが、彼らの野望を後押ししているのが世界中から集まる豊富な資金である。投機家たちは、彼らの世界制覇の物語に惹かれて莫大な資金を投入するので、成功までの間は低い配当でも我慢するという、GAFAにとっては夢のような構造になっている。GAFAは、将来自分たちの競争者となる可能性のある企業は、ことごとく買収するかつぶしてきた。新しいベンチャーが育たない状況だとも指摘されており、GAFAの敵はGAFAしか存在しない状況になっている。

▼利益総取り作戦の先に、懸念される問題

巨大IT企業GAFAに制覇されようとしている世界だが、同時に、それにともなう様々な弊害も指摘され始めている。GAFAの利益総取り戦略によって小売業、広告業など既存の産業が次々と駆逐されて行く中で、多くの失業者が生まれていること。その結果、国民の中間層がやせ細り、税金逃れに走る一握りの超

富裕層と大多数の貧困層との格差がますます開いていくこと。ビッグデータから人々の関心の傾向をＡＩ（人工知能）が分析することによって、より刺激的で極端なニュースが提供されるようになり、国民の分断が進むことなどである。

アマゾンやＦＢ、グーグルは自分たちの商売が上手くいくように、膨大な個人データ（ビッグデータ）から徹底的な顧客分析を行ってきた。それによって個人をターゲットにした効果的な商品広告が打てるようになり、商品の提供者から高い金をとる。それが一方では懸念にもつながる。グーグルの検索履歴やＦＢでの発信内容から個人の傾向・嗜好が丸裸になり、それが選挙など他の目的に利用されかねないことである。ＦＢでは、「１５０回の〝いいね〟であなたは丸裸になる」とさえ言われるが、こうした個人情報の扱いに対する国家の規制は思うように進んでいない。

▼金儲けが第一、創業者の性格、天才の社員たち

様々な懸念が指摘されてはいるが、ＧＡＦＡが考えるのは唯一、金儲けのことである（ギャロウェイ教授）。それも当然で、彼らに莫大なカネを投資する人たちは、いずれ高額な見返りを期待しているわけで、ＧＡＦＡが労働者保護や、（監視費用が発生する）メディアとしての責任、地域産業の保護などに少しでも金を使うことを嫌うからである。それが資本の論理というものだ。しかも創業者たちは企業の中で絶対的な権力を有しており、彼らの「攻撃的で資本主義的な性格」を変えることは不可能。教授はＦＢのザッカーバーグを「世界で最も危険な人物」とさえ言う。

では、ＧＡＦＡに代わる巨人が生まれる可能性はあるのか。中国のアリババなど、幾つかの候補は挙げられているが、それぞれに限界がある。むしろＧＡＦＡの中で競争が激しくなっていくだろうと言う。初めて

1兆ドル企業に達するのは恐らくアマゾンではないかとも。翻って日本の企業を考えると、GAFAははるか彼方の前方に行っていて、とても追いつくのは無理に見える。何しろ、FBもグーグルも社員には天才しか採らないし、世界中から集まるグーグルの6万人の天才が、日々資本の論理に駆られながら新たな金儲けのアイデアを練っているのだから、リスクを取ろうとしない日本企業はもちろん、誰もそれに追いつくことは出来ない。

▼巨大IT規制。国は効果的な手が打てるか

このように、GAFAの浸透は単に生活が便利になったと喜んでばかりもいられない面がある。先月、山形県で唯一の百貨店が倒産し、190人の従業員が解雇されたが、これなども一つにはネットでの買い物など、購買形態の変化が影響しているのだろう。日本でもEUに習って、個人情報の囲い込みや出店側への高圧的な要求などに関して、規制の検討が始まっているが、まだ模索中だ(12／18毎日)。この先、各国は資本の論理に凝り固まった巨大IT企業を、社会に適合した形に変えて行けるのか。国家と国家を超える資本主義との熾烈なせめぎ合いが続いて行くことになる。（2020年2月3日）

（＊1）NHKが持つ豊富なコンテンツを生かして、アクセス数で日本最大のサイトを目指すという案だった。首脳部はOKだったが、民放や新聞の団体である新聞協会から反対され、ネットサービスは番組の二次的な広報に限定するという、ごくささやかな案になった。

（＊2）2022年に発表された長者番付では、電気自動車などのテスラのCEOイーロン・マスクがジェフ・ベゾスを抜いてトップになった

格差の拡大に手が打てるか

アメリカ大統領選挙の民主党候補を決める予備選で、左派のバーニー・サンダースが若者層の熱狂的な支持を集めている。その民主社会主義的な主張については、彼の自伝「バーニー・サンダース自伝」に詳しいが、今度の選挙でも、国民皆保険や大学の無償化などを訴えている。支持の背景にあるのは、現在のアメリカに広がる深刻な格差だ。いろいろ数字があって悩むが、納税者のトップ0・1％（17万世帯）の資産が、下位90％（1億1千万世帯）の総資産に匹敵するという超格差状態である。しかも、この格差は年々拡大している。

▼暴走する資本主義の弊害は抑えられるか

巨大ＩＴ企業（ＧＡＦＡ）やそれに投資する国際金融資本が利益総取りに走る中で、富はこれらを経営する超富裕層（スーパーリッチ）に際限なく集中し、しかも彼らの資産は極めて税が低いタックス・ヘイブン（租税回避地）に隠れていて、税の補足が難しい。ＧＡＦＡの創業者たちが富を積み上げる一方で、既存の産業で働いていた中産階級が職を失って貧困化すれば、全体の購買力が低下しＧＡＦＡは自分で自分の首を絞めることになる。

資産14兆円で世界トップになったジェフ・ベゾス（アマゾン創業者）は、そのことに鋭く気づいていて、「最低限所得保障制度（ベーシックインカム）を採用すべきだ」などと言っているが、自分たちが雇用破壊をしているとか、税金逃れをしているとかは一切言わない。ギャロウェイＮＹ大教授は、「おそらく私たちの社会は、中産階級を維持する方法を見つけなければならないということを諦めてしまったのだ」と嘆くが、ＧＡＦＡだけでなく、グローバル化した金融資本も、世界各国で同じような富の集中と、格差拡大（貧困）をもたらしている。

彼らは、世界のあらゆる事象を金儲けの対象にする。その額はタックス・ヘイブンがらみで３３００兆円、為替取引に使われる資金だけで一日５８０兆円に上る。この巨額な「資本の暴走」が、世界中に格差拡大や地球環境の収奪をもたらしているのだが、これは日本も無縁ではない。後で見るように日本でも中産階級がやせ細って貧富の差が拡大しているが、既成政党の中からはなかなか声が上がらないのが現状だ。日本は果たして、「資本の暴走」がもたらすこうした弊害に、有効な手を打てるだろうか。

▼格差拡大の原因の一つ、「企業ファースト」

格差の拡大と中間層のやせ細りについては、日本でも様々な報告がされている。小栗崇資(たかし、駒澤大教授)は、企業で増え続ける内部留保が、雇用者に回っていない実態を指摘する(朝日２０１９年9月25日)。２０１１年から17年の間に、資本金10億円以上の5千社では売上高は10％しか増えていないのに、内部留保は85兆円から２１６兆円(１５５％増)へと急増している。その内部留保の増加分(１３２兆円)がどこから生まれたかというと、殆どは人件費の引き下げ分(77兆円)と、法人税の減税分(39兆円)だというのだ。

つまり企業は、消費税増税と引き換えに国が実施した法人税減税に加えて、非正規雇用を増やして人件費を削り、それを内部留保としてせっせと溜め込んできたのである。しかも、それは有効利用されていない。設備投資や研究開発には回らずに、金融投資や子会社の株取得、海外への直接投資などに向かうだけだ。小栗は、日本だけが人件費削減↓消費冷え込み↓国内市場の縮小↓内部留保の海外投資へ↓国内がさらに縮小という「負の循環」に陥っていると言う。日本の「企業ファースト」の政策が逆に経済を停滞させ、中間層の貧困化とやせ細りを招いている。

▼「企業ファースト」から「家計ファースト」へ

この「負の循環」を断ち切るために、小栗は内部留保を賃上げや正規雇用化、研究投資などに回すべきだとし、そのためには内部留保への課税や法人税減税の見直しも検討すべきだと言う。法人税は、安倍政権になってから39・5％から23・2％へと大幅に減税されて来た。しかも、資本金100億円以上になるとあれやこれやの優遇策で、法人税が8％〜11％まで低下している。内部留保の実態がここまで露わになると、小栗の提言も当然で、富の再配分と言うよりは適正配分と言うべきだろう。

一方、経済アナリストの中前忠は、この20年、家計の所得が抑えられてきたことが、景気低迷の原因だとする(「家計ファーストの経済学」)。2016年の家計所得はピーク時(1995年)に比べて13％も減っている。日本は企業の利益を優先して、「家計をいじめてきた」(中前)わけだが、この傾向は米、独、日3カ国の中でも日本が最大だという。従って、経済を活性化するためには、これまでの「企業ファースト」の政策を、家計に利益を回す「家計ファースト」に変え、中間層の購買力を上げてGDPの6割を占める個人消費を伸ばす必要があるとする。

▼その他、富裕層への増税、消費税廃止など

この他にも、格差是正の財源としては様々なことが考えられている。アメリカ大統領候補のウォーレン議員(民主党左派)が主張するのは、富裕税の導入だ。これは資産54億円以上のスーパーリッチ(7万5千世帯)に2〜3％の税金を課すというもので、10年間で330兆円の税収を見込むというものだ。日本の場合も所得税の推移で見ると、最高税率75％の時代(1974〜1984年)から徐々に下がって、現在は最高で45％だ。加えて、金融所得は一律に20％となっており、これも併せると一頃に比べて、随分と富裕層への優遇が

進んでいると言える。

こうしたことを踏まえて、日本でも富裕層への増税を検討すべきという意見が専門家から出ているが、スーパーリッチが欧米に比べて少ないため議論は低調という(毎日19・11・9)。あるいは山本太郎(れいわ新選組)や中前忠のように、消費税を廃止して消費を活性化させるべきだという意見もある。一律10%の消費税は、富裕層には軽く、貧困層には重い税金なので、もし廃止されれば貧困層の方がその恩恵をより大きく受けるからだ。山本も中前も消費税廃止の財源として、法人税増税や富裕層への増税(累進課税の見直し)を上げている。

▼財源をどう使うか。政治のメスは入れられるか

以上、格差是正のための財源はかなり絞られて来たが、問題はこうした財源をどう使うかということである。消費税廃止の他にも、例えば全世帯一律に一定の額を生活費として配る「ベーシックインカム」という方法がある。これはすでに、世界の幾つかの地域で試みられているが、将来、人工知能(AI)によって労働者の働き場所がなくなって行くことを考えれば、こうした実験が大事になるかも知れない。しかしその前に、私が一番共感するのは、井出英作(慶応大教授)たちが提唱する案である(第2章「格差と分断から共生の社会へ」)。

それは、国民が人生の各段階で等しく必要とする、教育や医療、育児・保育、養老・介護といった基本ニーズに対して、国民誰もが平等に現物給付を保証される(つまりタダになる)という「共存型再配分」という方式である。国民誰もが平等に必要な現物給付を受けると言うことは、高所得層には低率だが、低所得層の人に対しては高い割合の「再分配」となって、格差の是正にもつながる。しかも、社会全体で支え合うという「共生」の考え方として、国民各層に受け入れられやすいという利点もある。

問題は政治だが、政治は一部の富裕層に富が偏る「資本の暴走」の弊害にメスを入れられるか(＊1)。アメリカのみならず、格差問題がこれだけ社会の大問題になった現在、格差是正に取り組み、国民中間層を復活させることは、民主主義国家の重要課題になりつつある。日本の政治家、政党も時代の要請をどれだけ敏感に受け止めて、具体的な政策を実行に移せるか。政治の可能性がそれによって決まる時代になったと言える。

(2020年2月15日)

(＊1) 2021年10月に首相に就任した岸田文雄は当初、「新しい資本主」を掲げて富裕層への金融所得課税に言及していたが、いつの間にか立ち消えになった

台湾問題を複眼的に見る①

岸田政権は昨年末、日本の防衛戦略を構成する安保関連3文書(国家安全保障戦略、国家防衛戦略、防衛力整備計画)を作成。軍事力を強める中国、核ミサイルを増やす北朝鮮、そして理不尽な戦争を始めたロシアを念頭に、敵基地攻撃能力の保持、防衛費の増額(GDPの2%を目指す足掛かりとして5年間に43兆円)など、日本の防衛政策の歴史的転換を打ち出した。ただし、その内容について首相は国会でも「手の内は明かせない」などと言うだけで具体的に答えない。アメリカに迎合してミサイルを大量購入する思惑や、内容を伴わない2%の「数値ありき」のつじつま合わせという指摘もある。

この防衛力の強化(防衛費の増額)についての国民の反応は賛成が55%、反対が29%(NHK調査)。こうした反応には、ロシアのウクライナ侵攻によって戦争のきな臭さが漂っていることも影響していると思うが、一

方で、台湾を巡る日米中の緊張の高まりも影響しているに違いない。特に、安倍元首相が「台湾有事は日本の有事」と唱えた頃(２０２１年11月)から、台湾問題は日本の防衛を考える上での大きな要因となった感がある。いったい台湾問題とは何なのか。この先、台湾を巡って米中の衝突はあるのか。中国と台湾、アメリカと日本といったそれぞれの立場から出来るだけ〝複眼的〟に台湾問題を考えてみたい。

▼台湾統一を夢見る中国の強い願望

まず、中国にとっての台湾問題である。中国を封じ込めるアメリカに対抗して、「海洋強国」を目指す習近平体制は、「第一列島線」(日本列島から沖縄、台湾へとつなぐ防衛ライン)や、「第二列島線」(グアムやサイパンまで拡大)を想定して太平洋進出に着実に手を打っている。その中国の外洋進出構想を、太平洋を上部にしたいわゆる「逆さ地図」で見ると、広い太平洋への出口にふたをするように並ぶ沖縄南西諸島、尖閣諸島、台湾は目障りな存在である。中でも台湾の帰属は、中国にとって決して譲れない核心的利益となる。

仮に、台湾が中国の主張するように中国の主権下に帰属し、台湾の東側に軍港や基地を作れれば、中国は太平洋進出に関して莫大な便益を得る。かつて(２００７年)中国海軍高官は太平洋を中国とアメリカで二分しようと持ち掛けてアメリカ側を仰天させたが、台湾は中国の太平洋進出の要であり、それに比べれば尖閣諸島などは芥子(けし)粒のようなものだ。反対に、台湾が独立して中国の手の届かない国になってアメリカと同盟でも結べば、ふたはより強固となり、こんな悪夢はない。それを防ぐためには武力も辞さないと、習近平は警告し続けている。

▼すれ違う中国の願望と台湾人の思い

中国は、台湾の主権は中国にあると考えており、台湾人の主権を認めない。台湾人が独立を目指したり、外国勢力と手を握って中国に対抗しようとしたりすることを極度に警戒する。去年8月にアメリカのペロシ下院議長が台湾を訪問した際には、この時とばかりに中国軍が台湾を包囲するように展開し、戦力を誇示した。アメリカ側は、中国が２０２７年までに台湾を侵攻するなどと盛んに言い立てるが、武力による台湾統一は本当に迫っているのか。中国との統一を望まない場合、台湾はどのように自らを守って行くのか。以下は、台湾の考え方である。

戦後、中国で共産党に敗れた蒋介石の国民党は台湾に逃れ、大陸反攻を夢見ながら台湾を支配した。その台湾は現在、建前的に中国との統一（或いは融和）を目指す国民党と独立を願う民進党に分かれている。しかし、その政治志向も、一国二制度を掲げた香港の民主主義が中国政府によって踏みにじられたのを見て変化。台湾人の意識調査では現在、自分を台湾人と考える人が63％で、中国人と考える人は３％に過ぎない（両方とみる人が30％）。また、独立志向は35％に対し統一志向は６％、現状維持が52％で最も多い。台湾人と中国政府との思いはすれ違っている。

▼ウクライナ戦争で注目される「非対称戦」の考え方

台湾の独自性を保ちながら、現状維持を図りたい民意を、蔡英文・民進党政権も国民党も無視するわけには行かない。来年1月に予定されている総統選挙では中国との融和を唱える国民党が優勢との見方もあるが、いずれにしても、軍事大国の中国と武力衝突を避けながら、軍事的に劣勢の台湾をどう守っていくのかである。この点で今、台湾元参謀総長（李喜明）が唱える「非対称戦」という戦略が注目されているという（毎日考え方である。それは、ロシアの侵攻に直面したウクライナにも当てはまる、軍事小国が軍事大国に対抗する際の1／13)。

「非対称戦」とは「弱者が非常に限られた資源の中で、従来と異なる作戦の方式で効果的に自己を守る方式」のこと。まず考えるべきは、「台湾にとって最大の勝利は戦争の回避」であり、相手を打ち負かすことではないと考えることである。そのために、相手に攻撃を断念させるだけの、効果的に練られた抑止力を持つ必要がある。台湾の20倍もの軍事費を有する中国を考えれば、「拒否的抑止」が唯一の選択肢であり、高価な戦闘機や戦車ではなく、対艦ミサイルやドローン、機雷など、コストが安く大量に入手できる武器を分散配置することだと彼は言う。

▼「最大の勝利は戦争の回避」と思い定める

その上で、最も重要なのは「中国の国民全体を敵に回してはならない」ことだと言う。自衛能力を高めながら、中台の住民同士が友好的に共存できる関係を作らなければならない。多くの中国人が武力行使を支持しなければ、それだけ戦争のリスクは低下する。その点で、敵基地(中枢)を攻撃する能力は必要ない。攻撃の成果を上げるには極めて高い精度での攻撃が求められるし、仮に大陸を直接攻撃すれば一般市民の怒りに火をつけかねない。中国社会が団結して台湾への攻撃を支持するような事態は避けなければならない、と言う。

このインタビューで彼は、台湾人が一致して防衛する意思を示してこそ、中国に「うかつに手を出せない」と思わせることが出来ると言う。こうしてハリネズミのように自衛を固めながら、「最大の勝利は戦争の回避」と思い定めてじっくり時間を稼ぐことが、「非対称戦」の肝心なところだろう。それは、今にも戦争が起きそうだと騒ぎ立てるのとは、対極にある考え方でもある。

▼世界は、戦争のない10年を稼ぐことが出来るか

このように、戦争を回避することを最大の勝利と思い定めながら、戦争のない時間を少しでも長くすることがなぜ大事なのか。それは、仮に戦争のない10年を稼いだとすれば、現在70歳のプーチンも習近平も既に権力の座にはいないからだ。その時、世界がどうなっているかは分からないが、焦って(予防的に)戦争を始めることはない。何より非戦の状態こそが尊いからである。同時に、これから10年、15年を考えるときに、中国がどのように世界的な覇権を求めて行くのか、どう変わって行くのかは、慎重に注視していかなければならない。

日本と同じように、超高齢化と人口減少に移行していく中国は、これまでのように高い経済成長で、国民を満足させて行けるか。経済停滞や不動産バブルの崩壊、高齢者に対する社会福祉の遅れなどで大衆の不満が高まり、共産党政権の足元が揺ぎ始めた時、中国はどうするのか。台湾問題は二の次になるのか、或いは逆に、大衆の敵意を外に向けるために、台湾攻略に踏み切るのか。その時の経済的打撃に中国は耐えられるか。いずれにしても、世界と緊密につながりながら経済成長して来た中国にとって、台湾進攻は甚大な犠牲を覚悟の選択になるはずだ。

▼敵基地攻撃に前のめりの岸田政権は大丈夫か

こうしたことを冷徹に見極めつつ、出来るだけ非戦の時間を稼ぐ必要があるのだが、もう一方の当事者とも言うべき日本やアメリカはどうするのか。この点で、アメリカはもとより、敵基地攻撃能力(反撃能力)の保持などに突き進む岸田政権の前のめりの態度は、いかにも危うく思えるが、「台湾問題を複眼的に見る」の次回は、日米から見た台湾問題を整理してみたい。

(2023年2月4日)

台湾問題を複眼的に見る②

２０２３年1月の訪米で、岸田首相はバイデン米大統領から異例の厚遇を受けた。それもそのはずで、防衛費を5年で43兆円に増額し、敵基地攻撃能力(反撃能力)を持つとした「安保関連3法案」を国会に説明する前に手土産にして訪米したからである。アメリカ製の武器とミサイルを大量購入すると同時に、米国と一体になって中国に対抗する姿勢を明確にしたのだから、バイデンが上機嫌にならない訳がない。日々緊張の高まる米中関係の中で同盟国日本への期待と要求は高まる一方だが、日本はどこまでアメリカと一体になるのか。まさに「どうする？日本」である。

半導体関連技術の対中輸出規制や偵察気球の問題など、軍事的、経済的に緊張が高まる米中関係の中でも、最重要問題の一つが台湾問題である。前回は、その台湾問題を中国と台湾の立場から〝複眼的〟に見たが、今回はアメリカと日本の立場から考えてみたい。ただし、その前に踏まえておきたいのは、激しくなる米中対立の根底には、世界の覇権を巡る両者の戦いがあるということである。これは、別にアメリカがいいとか、中国が悪いとかいうのではなく、大国同士は必ず衝突するという歴史の方程式、或いは大国家同士の厄介な関係があるからである。

▼米中対立の根本原因は覇権を巡る争い

「大国政治の悲劇」(ミヤシャイマー、シカゴ大教授)によれば、中国のように経済的にも軍事的にも大国となった国家は、どういう政治形態を持つ国家であれ、必ず世界的な覇権を求めることになる。なぜなら、世界の安全を守る中心的な権威がない(多極的な)状況で、自国の生き残りを図るためには、相手より強くなることが最も合理的な方法だからだ。そのためには同じような力を持つ相手を軍事的にも地政学的にも、経済的にも超える必要がある。これは「中国が悪い国だから」、「文化的に問題があるから」ではなく、大国とは常にこう振る舞うものだという。

その時、中国が目指すのは第一に、アメリカの力をアジアから排除したい。第二に、アジアの覇権を握りたい。すなわち日本やロシア、インドといった周辺国より強くなって軍事的な挑戦を受けたくない。第三に、現在の領土体制(尖閣、台湾、南シナ海)を変えたい、ことだと言う。これは、現在のアメリカも日本も受け入れることが出来ない(中国による)挑戦だが、「トゥキディデスの罠(*1)」の如くに、米中は必ず衝突すると言う。これが著者の言う「攻撃的リアリズム」だが、核時代にあって米中の戦争は本当に避けられないのか。

▼アメリカが覇権を維持するための同盟強化

ソ連崩壊後のアメリカは、文字通り唯一の超大国として世界に君臨した。自由と民主主義を守る世界の警察官として、世界各地の紛争に介入し、幾つもの戦争を戦ってきた。しかし、そのアメリカも湾岸戦争、イラク戦争、アフガニスタンやシリア内戦など幾つもの戦争に疲れ、オバマの時には世界の警察官の役割から降りると宣言。さらに、トランプの内向きの「アメリカ・ファースト」があり、その反省として、今のバイデン政権の同盟関係の強化路線がある。覇権国家を維持するアメリカの戦略も時代とともに変わって来ている訳である。

バイデンの同盟強化(統合抑止)政策は、主に力をつける中国やウクライナ侵攻を始めたロシアに対抗するためのものだが、中でも台湾問題は、同盟強化の実証的意味合いを持つ。仮に台湾が(習近平が渇望するように)中国の支配下に置かれ、中国軍の基地や軍港が台湾に置かれれば、中国の影響力は第一列島線の東方へと広がる。そうなるとアメリカの影響力は西太平洋地域から排除されるかもしれず、これは、覇権国家・アメリカにとって許しがたい状況だ。その中国に対抗する戦略が、同盟国を巻き込む「統合抑止」政策である。

▼日本にとっての台湾有事は？

もはや唯一の超大国と言えなくなったアメリカが、引き続き覇権を保持するために、日本や韓国、オーストラリアの同盟国と力を合わせて中国に台湾侵攻をあきらめさせ、太平洋から締め出そうとする。それは、教授に言わせれば、うまく同盟国を利用してアメリカの力を温存する戦略でもあるのだが、その時、当の日本はどうするのがいいのか。それが日本にとっての台湾問題である。確かに、李喜明(台湾元参謀総長)が言うように、台湾が中国のものになって、アメリカの影響力が西太平洋から排除されれば、日本は地政学的には孤立無援で中国と向き合わなければならなくなるといった指摘もある。

しかも、中国が西太平洋に影響力を持つようになった時、仮に中国との関係が険悪になれば、海(シーレーン)や空の交通輸送ラインにも影響が及ぶ。従って、日本にとっても台湾が中国の支配下に入ることは、(たとえそれが武力行使なしでも)見たくない現実ではある。しかし、それより見たくない現実は、中国が武力によって台湾へ侵攻した場合にアメリカが介入し、米中が戦う局面である。その時、安倍元首相が言ったように、「台湾有事は日本の有事」と言って、日本も自動的にアメリカと中国の戦争に参戦することになるのかどうか。

▼台湾有事で、前衛を強いられる日本

台湾を巡る核大国同士の戦争は、本格戦争に発展すれば、核ミサイルの応酬で米中ともに破滅するので、両

国は戦いを台湾海域に限定しようとするだろう。その時に、同盟国の日本は台湾や中国に近いだけに、より際どい立場に立たされる。1月9日発表されて話題になった、台湾を巡る戦争のシミュレーション(米戦略国際問題研究所：CSIS)によれば、仮に日本が参戦すれば、中国による台湾支配を阻止できるにしても、中国、台湾はもとより、日米にも多大な人的(死傷者数万人)、軍事的犠牲を生じることになる。場合によっては、米軍基地がある日本本土が戦場になることさえあるだろう。

日本の防衛力増強が、その時、どのような有効性を発揮するかはまだ明らかでないが、いずれにしても米中の覇権を巡る戦争の中で、日本は(実態上、米国の前衛基地として使われるような)割の合わない選択を迫られる訳である。さらに戦争になる前であっても、見たくない現実は経済にある。仮に、戦争の瀬戸際にまで行けば、中国はもとより、中国との貿易に依存している日米と世界の経済も、様々な制裁の応酬によってどん底まで冷え込む。台湾にある世界最大の半導体工場(TSMC)が使えなくなれば、世界の先端技術はストップせざるを得なくなる。これも破滅的な現実である。

▼破滅的な戦争を避けるために何ができるか

従って、そこへ行くまでに、「台湾有事を避けるために日本がとり得る行動」を様々にシミュレーションすることが何より重要になる。その時、アメリカと一体になって中国と戦う犠牲と損失を、日本はどこまで冷徹に計算できるか。或いは、アメリカとの同盟を重視しながらも、破滅的な戦争を避けるために、日本は米中に対して、どこまで主体的に戦争回避の方策を提言できるかである。その点で、日本でも問題になった中国の偵察気球の議論を見ると、今の岸田政権もたちまち熱くなってアメリカに同調して強硬になり、対立を回避する冷静な議論がしにくくなるのが心配になる。

冷静な議論のためには、前回書いたように中国の足元を注視することも大事だが、一方で、アメリカの国内事情を注視することも重要になるだろう。今のアメリカは国内に深刻な分断を抱えている。その分断を取り繕うために、都合のいい外敵を設定するのは、アメリカの常套手段とも言えるが、今の対中強硬論はそうした状況に利用されていないだろうか。２０２４年の大統領選挙で共和党の候補に名乗りを上げたニッキー・ヘイリー（元国連大使）は、「中国共産党を灰に」などと言うが、アメリカには中国を敵視する好戦的な極右政治家がうようよしている。

こうした好戦的メンタリティーは、憲法9条の下で平和国家を目指してきた日本とは、随分とかけ離れている。バイデンは、「民主主義VS専制主義」を掲げて中国に対峙するが、日本はそうした単純な決めつけに安易に乗ることことなく、問題を〝複眼的〟に分析しながら、冷静に「破滅的な戦争を避けるために何ができるか」を、問い続けなければならない。覇権を巡る米中の対立に、残された時間は次第に少なくなっているのだから余計に。

（２０２３年2月17日）

（＊I）「新興の大国は必ず既存の大国へ挑戦し、既存の大国がそれに応じた結果、戦争がしばしば起こってしまう」現象

第4章　忘れてはならないもう一つの大問題・あの事故から何を学ぶか

現役時代に、原発問題について幾つかの特集番組を制作して来た私にとって、２０１１年3月に起きた福島第一原発事故は、大きな衝撃だった。事故直後のまだ情報が限られている中で最初のコラムを発信して以来、原発事故の人災の側面、地震国家で原発を運転する危険性、原子力政策の行き詰まり、そして脱原発の課題など、現在までに80本以上のコラムを発信して来た。本文にもあるように、福島原発事故が(東日本一帯に人が住めなくなるような)国の破滅、民族の破滅につながる最悪の事態を免れたのは、幾つかの奇跡が重なったからである。

その意味で福島原発事故は、広島、長崎などの記憶と並んで、日本の国のあり方を考える上での原点の一つだと私は思っている。しかし、年月が経つにつれて、その破滅の淵を覗いた記憶が徐々に風化し、最近は原発回帰への政治的動きさえ出てきている。しかし、日本の地下には２０００本の活断層が走っている上、南海トラフ巨大地震や千島海溝沿いの巨大地震が起こる確率も年々高まっている。その巨大地震の時、万一原発事故が起きれば東日本大震災の時のように、日本は再びその激甚災害の最中に、原発事故にも対応しなければならなくなる。

そんなことが、これからの日本に可能だろうか。奇跡はまた起きてくれるだろうか。しかも、事故を起こした福島第一原発の1号機から3号機の廃炉作業は殆ど進んでいない。溶けて圧力容器を突き抜けた核燃料が格納容器の中でどのようになっているのかも掴めていない。30年から40年で完了するなどということはあり得ず、原子力学会の専門家も最低でも１００年、長くて３００年かかると言う(「廃炉という幻想」)。その間、東電と国は膨大な資金と人的資源を投入し続けなければならない。とても、新たな事故に対応する余裕はないはずだ。

そうした現実を直視せずに、エネルギー危機や脱炭素を口実に原発を進めるのは、戦前から続く日本の

「無責任の体系」と同じではないだろうか。安全神話にあぐらをかいて事前の警告を無視した電力会社の体質、国策として進めてきた国にも共通する無責任の体質である。国はこうした反省もなしに、再び巨額の資金を原発につぎ込もうとしているが、本文中に書いたように、硬直化した原発電源は再生可能エネルギーの普及にとって壁となっている。原発なしで、温暖化対策をどう進めるのか。これからの日本にとって避けて通れない問題の一つである。

最悪に備えてあらゆる対策を

(以下は、地震発生3日目の3月13日13時に発信したコラムである。初期の情報混乱の中で多少の事実誤認もあったが、危機感としてはかなり切迫したものだった)

福島原発は最大限に憂慮すべき経過をたどりつつある。福島第一原発には近接して6基の原子炉がある。うち運転中だった1号機から3号機までで、炉心内を冷却するための循環用ポンプの電源が確保できずに、停止後の圧力容器内への水の補給、循環が効かなくなっている。炉内の水の温度が異常に高くなって水蒸気化し、圧力が高まり、これで外部から水を補給しようにも水が入らない。そうすると炉内の水位が低下して燃料が空焚き状態になり、炉心溶融が起きてしまう。

▼抑え込みに全力を

1基の原子炉では、すでにその炉心溶融が起こったという。そのために圧力容器を囲んでいる格納容器に海水を満たす作業をしている。圧力容器ごと海水で冷却するという窮余の策である。これも圧力容器の熱を下げるためには、長期間にわたって海水を入れ続けなければならない。問題は、他の原子炉でも電力が確保できずに炉心に冷却水を循環させる機能が作動していないこと。これも炉内の水位が下がってくれば燃料の空焚き状態になる。まずは圧力容器内に水を入れるが、これも水がなくなったりすれば、同じ手順で海水を格納容器内に満たすことにするのかどうか。

このためには、さらに大量の大型ポンプ車や電源車を全国から運び入れなければならない。それに急ぎ備えるべきである。こうした問題が、6基ある他の原子炉でも起きて来るとすれば、極めて綱渡り的な対応を迫られる。残りすべての炉に燃料の空焚きの危険があることを想定して、6基すべての原子炉を廃炉にする覚悟(＊1)で対策を早めに考えだし、持てるリソースすべてを動員すべきである。関係各方面の専門家、電源車、ポンプ車、非常用発電機、オイル、同時に発電所への電源の復旧を非常時権限で急ぐべきである。(こうしたバックアップ体制の情報がもっとあるべきではないか)

▼最悪のケースを想定して危機感を持て

心配なのは、仮に1基でも炉心溶融が進んでいわゆるメルトダウンが起きた時のことである。圧力容器内で燃料棒が熱によって破損し、燃料が崩れ落ちて固まれば莫大な熱量で圧力容器まで溶かして行く。あるいは蓋をしているボルトあたりを溶かす。そうするとそれが圧力容器の外側に満たされていた海水と反応して水蒸気爆発を起こす。そうなれば、大量の放射性物質が環境に放出される。これだけでも想定された最悪のケースだが、福島の場合はさらに憂慮すべき状況がある。

1基でも水蒸気爆発して大量の放射性物質がでてきたら、誰も近づけない。他の5基の原子炉の管理作業も不可能になり、6基全体が管理不能になる。使用済み燃料体を冷やすプールの水がなくなって燃料体が熱で溶けだした場合も含めて、6基からの放射性物質が長期間にわたり環境を汚染することにもなったら、住民避難は、20キロなどということでは到底収まらないだろう。その汚染規模がどの位になるかは、正確には分からないが風向きによっては首都圏までも直撃するだろう(＊2)。チェルノブイリでは北欧の大地まで汚染された。

放射線被ばくした住民への医療体制の整備も一方で進めておかなければならない。何箇所か医療基地を設けて、そこに医療班と薬などの整備、備蓄を急ぐべきである。場合によってはさらに広範囲の住民を避難させなければならない。同時に、こうした作業すべてをコントロールする機能(政府)の強化を急ぐことである。あらゆることを想定して、先手先手でバックアップ体制を充実すべきである。

▼国家総動員体制で取り組め

とにかく、まずは原子炉の放射能を抑え込むこと、しかもそれは長期にわたるコントロールになるはずなので、応急対策と同時に恒久的対策を整備して炉心管理をすべての原子炉に対して行わなければならない(冷却用の水の確保と電源確保が最優先か)。マグニチュード7以上の余震がこれからも想定されると言うが、それでも管理していかなければならない。まさに綱渡りの状態なのだが、最悪のケースになれば、極めて広範囲で日本は国土が汚染され、居住不可能になり、大量の避難民が狭い国土をさまようことになる。食糧も日用品も足りなくなる。日本の各企業は、こうした想定をしつつそれぞれが自主的に考え、前もって東海、関西、九州などからの支援体制に踏み切るべきである。

いずれにしても、人的被害でも、経済的にも、食糧確保問題でも、あらゆる面で、日本はいま国家存亡の瀬戸際にいる。そうならないことを心から望むが、まさに日本は未体験のゾーンに入っているのである。最悪のケースを想定し、まさに国家総動員体制で対処すべき問題なのである。すべての知恵を結集し、すべての国内リソース(場合によっては海外)を原子炉抑え込みと、そのバックアップ体制に振り向けるべきである。もちろん被災者の救援も大事だが、同時に、国は最優先に原子炉抑え込みと影響の封じ込めに全力を上げるべきである。そして、政府は各党にはもちろん、すべての国民、企業、科学者にどんな支援を必要としているかを正直に話して、冷静かつ効果的な国を挙げての協力をお願いすべきではないか。1979年のスリーマイル原発事故から2年後にマスメディアとしては初めて発電所内(ここでも漏れた水素と酸素が反応して爆発的に燃焼する爆燃が起きた)に入り、原子炉で何が起きたのかをつぶさに調べて番組(＊3)を制作した経験から言うと、この状況を深く憂慮せざるを得ないのである。

(2011年3月13日)

(＊1) 後になって、福島第一原発の6基、第二原発4基の合計10基の廃炉が決まった

(＊2) 後に分かったことだが、3月25日に原子力委員会委員長の近藤俊介が菅(かん)首相に報告した「最悪のケース」では半径170キロの強制避難(移転希望は250キロ)まで想定された

(＊3) NHK特集「原子力　秘められた巨大技術③安全はどこまで」1981年放送

議事録不在は何を意味するか

2012年2月28日、民間の福島原発事故独立検証委員会(民間事故調)が当時の関係者300人から聞き取りして作成した調査報告書を公表した。原発事故直後から官邸が半ば機能不全に陥った原因について、危機管理に対する日頃からの準備不足、原子力安全委員会や原子力安全・保安院が全く機能しなかったこと、官邸と東電や専門家との間の不信の連鎖、菅首相のリーダーシップの功罪などについて指摘している。この報

告書が示唆している問題は様々だが、中でも浮き彫りになったのが事故直後の官邸の深刻な危機感である。

▼危機感は共有されているか

3月14日に福島第一原発の吉田所長から「炉心の溶融が進み、燃料が溶け落ちる可能性が高まった」という連絡が入る。その時、枝野官房長官(当時)は「核燃料が露出する状態が続けば、多くの放射性物質が漏れて作業員が立ち入れなくなる。近くの福島第二原発など、ほかの原発にも影響が広がって最終的には東京でも避難が必要になるという『悪魔の連鎖』が起きるおそれがあると思った」という心境を明かしている。

この危機感は、事故3日目の3月13日に私が「最悪に備えてあらゆる対策を」に書いた内容と殆ど同じ。枝野のその時の危機感が、現在の東電に対する厳しい注文や、原発再稼働に対する慎重さにつながっているに違いない。しかし一方で、当時の政府中枢の危機感は今どのくらい国民に共有されているのだろうか。枝野の感想をもとに、NHKが街頭インタビューをしていたが(東京まで避難範囲に入ると聞いて)「え！　そうだったんですか？」というのが答えだった。

民間事故調の聞きとりでは、首相秘書官の一人が「この国にはやっぱり神様がついていると心から思った」と言い、菅首相も「まさに神の加護があったのだ」と述懐したが、国家の破滅が避けられたのは奇跡的だったという現実。劣化した原子炉の崩壊によるさらなる放射能漏れなど、この先に憂慮される事態。まだ分かったのは一部に過ぎないが、福島で指摘された構造的欠陥は他の原発にも共通なこと。これから現れるかもしれない長期にわたる低線量放射線被ばくの影響。そして、膨大な除染作業の困難さなど。

このような懸念される状況が続いていて、原発事故の危機は1年後の今もまだ終わるどころではないのに、原発事故に対する危機感が国民全体に共有されずに、今や何となく風化しているようにさえ見えるのはなぜか。それは、国民が事故の真相から遠ざけられているからであり、政府の意図的な楽観論に惑わされているからに他ならない。

▼議事録がないことの重大さ

情報が隠されているという意味では、震災直後から政府に設置された「原子力災害対策本部」での会議の議事録が全く残されていない、という事実も同様である。聞いた時には、あきれてあいた口がふさがらなかった。官僚機構に詳しい友人は、「役人がメモを取っていないことなどあり得ない。記録はどこかにあるはずだ」というが、その後の調査ではどうも本当らしい。信じられないことだが、国家存亡の時と言ってもいい経験をしながら、災害対策本部なども含めた15の対策本部のうち10の会議で、その時の国家中枢が議論した議事録がない。

NHKの報道(1月22日)をきっかけに、民主党の岡田副総理は事後でもいいから2月中に概要を作るよう指示したが、間もなく公表される「概要」は実際の生々しいやり取りとは似て非なるものに違いない。概要が出たら、メディアはまた政府や官僚たちの救い難い劣化を書きたてるだろうが、議事録がないことの意味は想像以上に深刻だと思う。

▼歴史の検証に耐えられない

議事録不在の意味を考える時に、私が思い浮かべるのは日本が無条件降伏を決めた1945年8月9日と14日の御前会議(最高戦争指導会議)の事細かな記録である。この中には、敗戦を目前にした閣僚、軍人たちの白熱した議論、天皇がついに自分の意見を述べるくだりなどが、肉声を聞くように逐一記録されている(「聖

断　天皇と鈴木貫太郎」半藤一利、「宰相　鈴木貫太郎」小堀桂一郎)。

基になったのは、出席していた海軍軍務局長ほかの記録である。戦争末期の大混乱の中でも、記録を残していた官僚はちゃんといたわけである。御前会議のこの記録は正式な議事録ではないというが、記録が残っていたおかげで、終戦に至る経緯も歴史上の教訓も、様々な角度から検証され民族の歴史として後世に引き継ぐことが出来る。

しかし、今回の大震災の場合は、多くの会議で議事録も官僚の記録もないために、歴史の検証に耐える第一級の資料を永久に失ってしまった。チェルノブイリと同等の人類史上最悪の原発事故を起こしながら、その詳細な記録を歴史の教訓として残すことが出来ない。

現在、原発事故の調査委員会には政府、国会、民間の３つが動いているが、議事録がないことが分かって、国会事故調(黒川委員会)の方は、報告延期に追い込まれている。依然として、ことの重大性を分かっているようには思えない政府だが、この空白を埋めるためにはどうしたらいいか、余程真剣に考えなければならないと思う。

▼危機感の国民的共有が出来ない

議事録がないことの深刻な影響はもう一つある。当時の生々しいやり取りを記録した議事録があれば、国民はそれを繰り返し様々なメディアを通じて知ることが出来る。事態がいかに危機的だったか、国民全体に正確な危機感が共有されるだろう。思うに、その人の「原発に対する姿勢」は、あの危機をどれだけ現実のものとして想像し実感したかによって決まって来るのではないか。それは、ある意味、戦争を体験した人々が持ち続けた「不戦の誓い」と同じような、「理屈を超えた確信」に近い。そして、その確信は悲惨な現実を繰り返し知ることによってのみ歴史の風化をまぬがれる。

　しかし、議事録がなければそうした繰り返しもならず、国民の間で危機感を共有することも出来ない。結果、国民の原発に対する意識はバラバラになり、分断に追い込まれる。それは、原発再稼働を目論む人々にとっては都合のいい状況かもしれないが、それでいいのだろうか。脱原発のような重要政策を選択する時には、(ドイツのように)国民的議論が必要であり、国民は知るべき情報から遠ざけられてはならないはずだ。以上のような文脈で考えると、仮に議事録が公開された時のインパクトは極めて大きいだろうし、また、議事録が永久に失われたことの重大さが想像できると思う。

▼日本は巨大システムを管理できない?

　ところで、関係者300人へのインタビューを基にした民間事故調の報告書からは、官邸、専門家(原子力安全委員会)、規制機関(原子力安全・保安院)、東電のそれぞれの役割分担がはっきりせず、それが大混乱を招いた様子が浮かび上がる。メディアの関心も、各人の能力やリーダーシップなどに向きがちだが、実は「真の問題」はそこにあるわけではない。

　それは、最近公開された(福島原発事故対策を議論した)アメリカのNRC(原子力規制委員会)の3000ページに及ぶ議事録を見ても分かる。そこには、国家としての危機管理の思想と関係機関の機能分担が明確に反映されている。

　アメリカにあって日本にないもの。それは原子力や宇宙技術といった「巨大システムを管理運営する思想や体制」そのものだと思う。議事録一つとっても、アメリカと日本とではよって立つ思想が違う。政財官による閉鎖的な原子力共同体(原子力ムラ)を作って異なる声を排除し、持たれ合いの中で原子力を運営して来た日本を考えると、日本は果たして原子力のような巨大システムを管理できるのか、と考えざるを得ない。さらにもっと大げさに言えば、政治も官僚機構も劣化し、いよいよどん詰まりになった「戦後日本の構造的欠陥」。それが今回の原発事故によって露わになったのではないか、とも思う。

（2012年3月1日）

虚構と無理筋の原発政策

福島原発から膨大な放射能が東日本全体に拡散する危険が高まっていた頃の、ほぼ一カ月に及ぶ日本の官邸、官僚、東電、アメリカ政府、米軍、自衛隊の動きを追った「カウントダウン・メルトダウン」(船橋洋一)。そこにも書かれているが、福島第一原発事故では幾つもの偶然が重なった結果、辛うじて「最悪のシナリオ」を避けることが出来た。何より、①4号機では、たまたま隣のプールの壁が地震ではずれて大量の水が、使用済み燃料の入っている方のプールに流れ込んでくれた、②2号機では、格納容器の圧力が高まって爆発が時間の問題になっていたが、どこかの局部的破壊で圧力が抜け、大破壊が避けられた(これが大破壊したら、福島第一の6基、福島第二の4基の計10基を放棄せざるを得ない状況に陥っていたかもしれない)。これが大きかった。

加えて、③地震が金曜日の昼間に起きたために多くの作業員がいたこと、④風向きが11日〜14日は太平洋に向かって吹いていたこと。これが逆だったらさらに広範囲に深刻な汚染が広がっていた、⑤1号機、3号機の水素爆発で原子炉建屋の屋根が吹き飛び、外から使用済み燃料プールに水を入れられる状態になったこと、などなども(今も避難している15万人の原発被災者の方々には申し訳ないが)不幸中の幸いだった。日本はあの時、「まさに神の加護があったのだ」(前首相)と国家の中枢が実感するほどに、もう二度とはあり得ないような偶然に助けられて、国家の破滅を免れたのである。

▼原発推進に舵を切った安倍政権が進める原発輸出

その現実を忘れて、経済のためなら何でもやると「成長戦略に原発活用を」などと言い出したのが安倍首相である。去年の選挙公約では、「原子力に依存しなくてもよい経済・社会構造の確立」と言っていたのに、それをなし崩し的に変え、今や完全に原発推進に舵を切っている。「逆戻りは許されない」(6／16毎日)、「見過ごせぬ　議論なき原発回帰」(6／28朝日)などの批判もそ知らぬふりだ。

首相はセールスマンよろしく世界各国を行脚して、(どこからそんなことが言えるのか分からないが)「世界で最も安全な原発技術を生かす」などと言いながら、原発輸出を可能にする原子力協定を結ぼうとしている。その相手は、サウジアラビア、アラブ首長国連邦、トルコ、インド(交渉再開)、ブラジルなどに及んでおり、フランスとは連携して原発推進に当たることにも合意した。こうした官民一体の原発輸出については、環境エネルギー政策研究所の飯田哲也が次のような異を唱えている。

近年の原発は建設費が予定を超えて膨らむ傾向にある上に、事故が起きれば日本が国家として賠償責任を取らされる危険もある。相手国には地震国もあれば政情不安国もある。しかも、輸出事業の本質は、「儲けは一部企業、リスクは国民」という不公平極まりない構図になっている。原発輸出で経済成長と言うが、原発輸出で企業が儲けても、その恩恵が国民に落ちて来ること(トリクルダウン)は殆どないと言う。

これこそ、大企業が「企業が国に何をするかではなく、国(国民)が企業に何をしてくれるかだ」と政府に迫るグローバル経済の典型ではないか。その上、原発輸出は、危険な使用済み燃料を世界中に拡散させると同時に、再処理してプルトニウムを取り出せば核兵器開発を世界に拡大する危険もある。そもそも、(10万年も管理しなければならない)使用済み燃料は、日本でもその処理法が定まらないのに、原発だけを売り込んで、これをどう面倒見ようと言うのだろうか。原発輸出に関する限り、アベノミクスも一皮むけば単なるグローバル企業への奉仕であり、武器輸出にも通じる「倫理なき経済」にしか見えない（＊1）。

▼電力会社VS規制委員会

一方、安倍政権の原発回帰への姿勢を受けて、国内では電力会社が大手を振って再稼働へ動き出している。先の株主総会では、原発を保有する9電力すべてが原発依存の経営計画を打ち出し、株主からの脱原発提案をことごとく否決した。7月8日には、電力4社が停止中の10基の原発の再稼働を原子力規制委員会に申請する。検査が始まると政治も巻き込んだ電力会社と規制委員会との激しい攻防が予想されるが、早くも関西電力などは規制委の足元を見て、活断層調査の要請を無視したり、対策を小出しにしたりする作戦に出ている。原子力規制委員会は「新基準の最低線を探ろうと言う姿勢だ」と関電の引き延ばし作戦を批判しているが、安全より経済を優先する原子力ムラの体質は変わりようがないので、今後も露骨な抵抗が続くだろう。

規制委の田中委員長はかつてのインタビュー(1／11朝日オピニオン)で「事業者が原発事故について、どこまで反省をしているか、いまだに確信が持てない」、「経営層が安全対策に責任を取る体制にあるかどうかも見えて行きたい」と述べているが、この初志をどこまで貫けるか。

一方で新潟県の泉田知事のように、新しい規制基準についてさえも(福島事故の解明が進んでいない段階での)「新規制基準そのものが不十分」という意見もある。事実、事故の解明で分かった水位計などの欠陥は新規制基準にも入っていない。「守るべき最低の基準」とされる基準についても、何だかんだと言って抵抗する電力会社の経営者たちを見ると、「日本の原発は世界一安全」だなどというのは首相の思い込みに過ぎないことが分かる。

▼福島の虚構。混迷深まる東電経営

東電の方は経営立て直しの姿勢を示すために、地元に十分な説明もせずに見切り発車的に柏崎刈羽原発の再稼働申請を発表したが、地元新潟県の泉田知事の大反発を受けて断念。東電の思惑通り再稼働が進む状況では全くなくなった。現在の東電は、どこまで膨らむか分からない事故処理と廃炉費用、裁判と損害賠償、稼働しない原発の維持と安全対策のための巨額な費用、円安で膨大になる燃料代といった幾つもの難問を抱えている。

また、近い将来の発送電分離も控えており、この先電気料金をどこまで上げ続けられるのかも分からない。と言うわけで、東電は既に実質的には、どう頑張っても経営が成り立たない破綻企業に近いという説もある。にもかかわらず、国が破綻をさせないのは、問題を引き受けたくないための保身と問題先送り。それに国民に負担を続けさせていくために虚構を続けているに過ぎない。

加えて福島第一原発の現場からは、海に近い地下水が極めて高濃度の放射能に汚染されているという深刻な情報が伝わって来た。これは一体何を意味するのか。東電は2年前に漏れ出した汚染水が地下に溜まっているのではないかと説明しているが、本当にそうだろうか。それに関して、私が気になっているのは、溶けてドロドロになった原子炉の燃料のありかである。これまでは、メルトダウンした燃料が圧力容器を溶かしてメルトスルーしたものの、格納容器の底にあるコンクリートにめり込む形で、中に収まっているとされてきた。しかし、すでに格納容器も突き抜けてその下のコンクリート土台に沈み込んでいるのではないか、という指摘もある(「原発報告書の真実とウソ」塩谷喜雄)。

そうなると、外から幾ら水を注入しても、放射能を洗いだした汚染水はコンクートを通過して地下にしみだしてしまうかも知れない。いまだメルトダウンした原子炉の中がどうなっているのか、殆ど分かっていない状況なので何とも言えないが、仮にそうであれば、作業工程は極めて困難になる。いずれにしても正確なことを早く知りたいところだ(＊2)。

▼虚構と無理筋を続ける原子力政策

東電の例を見るまでもなく、日本の原子力政策はこの期に及んでも、虚構と無理筋を強引に続けようとしている。それを支配しているのは、「自己保身と問題先送り」、そして「現実を直視しない虚構性」である。その最たるものが核燃料サイクル(使用済み燃料の再処理と高速増殖炉)なのだが、言えるのは、原子力政策を担う日本の中枢はメルトダウンしたまま、ますます混迷を深めているということである。「神の加護」を忘れて、このまま原発推進に突き進んだら、将来どんな天罰が下るか分かったものではない。

（2013年7月8日）

（＊1）首相肝いりの原発輸出も、2018年に三菱重工が、2019年には日立が撤退し、一件も成功していない

（＊2）事故の実態解明は今も続いている（NHKスペシャル「メルトダウン／File8 事故後12年目の〝新事実〟」2023・3・19）

チェルノブイリの祈りと福島

2016年は東日本大震災、福島原発事故から5年になる。その節目に向けて各放送局は今、様々な周年

企画を募集中だが、節目と言えばもう一つ、来年はチェルノブイリ原発事故から30年の年でもある。そこで考えるのは、チェルノブイリ(*1)と福島を関連付けて原発事故にあった人々の心の内を探る番組企画だろう。福島原発事故では、今なお放射能に汚染された故郷を離れて10万人の原発避難者が、不自由な生活を強いられている。事故当初は16万人に上ったこの人たちは、何を思いながらこの5年を過ごして来たのだろうか。

▼失われた2億3000万日

一人当たり1800日、この5年の原発避難者を平均13万人とすると、失われた日々はトータルで2億3000万日になる。それは「失われた2億3000万日」とも言うべき膨大な時間である。事故さえなければ、自然豊かな故郷でブランド米作りや酪農、水産業など、それぞれの夢に向かって別の人生が続いていたはずなのだが、原発事故はその夢を根底から破壊した。その膨大な時間に分け入ることは出来るだろうか。一人一人の失われた時間と、今の強いられた時間。そこから見えて来るもの何なのか。

私も参加しているドキュメンタリー制作会社の企画会議では、その手掛かりとして、今年ノーベル文学賞を受賞したスベトラーナ・アレクシエーヴィッチに福島に来て貰うのはどうだろうかという議論をした。ベラルーシの作家でジャーナリストでもある彼女は、チェルノブイリ原発事故の被災者300人にインタビューし、事故ですべてを失った人々の〝心の叫び〞を10年後に「チェルノブイリの祈り〜未来の物語〜」としてまとめた。この企画は「早い者勝ち」だなどと言っていたが、考えつくことはどこも一緒で、彼女に連絡を取ると、タッチの差で別の制作会社が彼女と交渉済みということが分かった。

今、福島では長引く避難生活の中で、かつての自治体・共同体が崩壊の危機に瀕している。政府は、住民の帰還を促すために除染を急いで、自宅に一時的に戻れる準備宿泊地域を広げ、2017年3月には帰宅困難区域を除く全区域で避難指示を解除しようとしている。しかし、解除の条件とする年間20ミリシーベルト以下というのがそもそも問題で、一般人の被ばく限度の年間1ミリシーベルトの20倍。最悪の場合は、5年住んだだけで(ガンが0・5％増えると言う)生涯累積100ミリシーベルトに達してしまう。避難している住民たちからは、解除を理由に生活支援を打ち切るのは許せないと集団訴訟も起こされている。

▼「チェルノブイリの祈り」

こうした状況も踏まえて、「チェルノブイリの祈り」を読むと、様々なことを考えさせられる。この本の中には、火災を起こした原子炉に突入して大量の放射線を浴び、二週間後に死亡した消防士の妻の言葉、高線量の村で妊娠して奇形の障害児を産んだ母親の証言、死と隣り合わせの病院生活が日常になってしまった子どもたちの願い。あるいは政府が事故を隠ぺいする中で、放射線の危険を警告し続けた良心的科学者の声、原発周辺に暮らしていただけで「チェルノブイリ人」と指差され、結婚対象にもされないといった差別を受ける人々の話など、数多くの〝心の叫び〟が集められている。

新婚で妊娠中の妻リュドミーラ(23歳)は、単なる火災と言われて召集された消防士の夫が、帰宅後に体調が急変し、やがて全身ボロボロになって死んでいくのに最後まで付き添う。病院で「あなたの前にいるのは、高濃度に汚染された放射性物体なのですよ」と言われても、愛する夫のもとを離れない。「私は毎日シーツを取り替えましたが、夕方にはシーツは血だらけになりました。彼を抱き起こすと私の両手に彼の皮膚がくっついて残る」というような看病を続ける。それは、1999年の東海村JCO臨界事故で被ばくして亡くなった作業員の記録を追ったNHKスペシャル「被曝治療83日間の記録」(2001年放送)の映像を超える状態だったろう。

「病院での最後の2日間は、肺や肝臓のかけらがくちからでてきた。夫は自分の内臓で窒息しそうになっていた。私は手に包帯をぐるぐる巻きつけ、彼のくちにつっこんでぜんぶかきだす。ああ、とてもことばでいえません。ぜんぶ私の愛した人、私の大好きな人」。夫の死後、彼女は予定より早い出産をするが子どもは4時間後に死亡する。先天性の心臓疾患だった。消防士の他に軍隊もチェルノブイリの処理に投入された。その数210部隊、34万人。十分な防護服も線量計も着けずに高濃度の汚染地帯で働き、英雄として称賛された兵士たちの多くが白血病やがんに苦しんでいる。

▼原発事故は、国と人間の姿を浮かび上がらせる

事故の間中、ソビエト政府は住民のパニックを防ぐために本当の情報を隠ぺいした。すぐに帰れるからと言われて、住民たちは皆、着の身着のままで避難した。一部の政府関係者の家族だけが放射線による甲状腺がんの予防としてヨウ素を支給されていたことも分かっている。政府は、周辺の安全を強調する(やらせの)ニュースを流させ、そのために汚染された食糧が流通した。村の集会所に人々が集められ、テレビを通じてゴルバチョフ大統領の「すべて良好、すべて制御されている」という(どこかの国の首相が言ったような)言葉を聞かされた。

ラリーサが生んだ女の子は、「娘は、生まれたとき赤ちゃんでなかった。生きている袋でした。からだの穴という穴はふさがり、開いていたのはわずかに両目だけでした」というような障害児だった。彼女はその後、肛門や膣を形成し、30分ごとに両手でおしっこを押しだして排尿するという生活を続けながら、辛うじて生きている。その娘が低レベルの放射線被ばくの影響という診断書を貰うのに4年かかった。「20年後、30年後にチェルノブイリのデータバンクがそろえば、病気と放射線を関係づけることができるでしょう。今日の科学と医学はこれについてほとんど分かっていないのです」と言う医師や役人と闘い続けた結果だった。

▼「私は未来のことを書き記している」。そして福島

福島原発から放出された放射性物質は、チェルノブイリの総量の7分の1という（ただし、それは計算上チェルノブイリの場合の25分の1の狭い面積に降下したとも言える）。「チェルノブイリの祈り」を読むと、汚染量や防護対策のレベルに大きな違いはあるにせよ、原発事故があぶり出す状況には似たような構造があることが分かる。政治家や官僚、電力会社による情報の隠ぺい、事故の過小評価、曖昧な科学者の態度など。そして放射線被曝の苦しみや不安に怯える人々、周囲の偏見。原発事故は、国と人間の似たような姿を浮かび上がらせる。

事故後4年半が経った現在、福島県、あるいは汚染物質が飛散した千葉県柏市では、子どもの甲状腺がんが増えている。福島県の調査区域での甲状腺がんが、全国平均の40倍、50倍の確率で見つかっている（岡山大津田俊秀教授）。福島県民調査の先行検査で見つかった113名のうち、99人ががんで手術。本格検査ではさらに25人ががんまたはがんの疑いとされている。こうしたデータについても、国は福島原発事故との因果関係は認められないとしている（＊2）。そして、冒頭に書いたように、20ミリシーベルト以下になったところから帰還を促すとしている。

事故後5年を迎えようとしている福島の事故だが、多くの国民は事故の現実や福島の人々の苦しみを忘れてしまいそうになっている。それをいいことに国や他の地方自治体は、何事もなかったように原発の再稼働を進めようとしている。原子力ムラの人々は、その原発で再び事故が起こったら、自分が加害者となって同じように罪のない多くの人々が永遠に続くとも思われるような苦しみを味わうことになる、という事実から

目をそむけているのだろう。

著者のアレクシェーヴィッチは、人類が未だかつて経験したことのないような原発災害を記録しながら、何度も「私は未来のことを書き記している」と感じたと書いている。タイトルに「未来の物語」と入っているのは、このためだろう。この時、1996年。福島事故が起こるのは、それから15年後だった。世界(特に地震大国の日本)に原発がある限り、この「未来の物語」はもうあり得ないと誰が言えるだろうか。

(2015年11月21日)

(＊1) チェルノブイリ原発は、現在ウクライナ語読みでチェルノービリ原発となっている
(＊2) 原発事故による甲状腺がんについては、今も論争が続いている

巨大イモ虫と原発、誰かが見ている？

2021年10月に就任した岸田首相は、総裁選に当たって出版した「岸田ビジョン」の中で、「将来的には洋上風力、地熱、太陽光など再生可能エネルギーを主力電源化し、原発の依存度は下げていくべきというのが私の考えです」と書いていた。しかし、翌年7月の参院選が終わったとたんに、ウクライナ戦争によるエネルギー事情と脱炭素を口実に原発政策の転換を図ろうとしている。この間、しきりに原発の再稼働、新増設を訴えていた自民党内の原発推進派や経産省の声に押されるように、原発の再稼働を加速させ、原発の新増設にも踏み出そうとしている。

勢いづいた原子力共同体(原子力ムラ)は、運転期間(原則40年、限度60年)の見直し、新型炉の開発も議論

に乗せ、福島原発事故以来の停滞を打破しようとしている。しかし、こうした議論は、どれだけ事故の教訓を踏まえているのか。どれだけ核燃料サイクルの行き詰まりを踏まえているのか。地震大国で原発を維持する危険性、向こう100年経っても終わりそうもない廃炉と膨大な費用(「廃炉という幻想」)、建設開始後30年近く、3・1兆円をつぎ込んでもまだ完成しない再処理工場、高レベル廃棄物の処理地も見つからない現状。こうした歴史と現状をどの程度踏まえて、首相は政策転換を言い出したのだろうか。

12年前に、あわや国を亡ぼすような破滅的な原発事故を経験し、奇跡的な偶然の重なりでそれを脱した現実を忘れ、目の前の事情や目の前の利害で再び巨大で危険な構造物に頼ろうとする。こうしたその場しのぎの政治を行っている日本に何が待っているのか。それは未来の世代に顔向けできるような政策なのだろうか。そういう私の思いを踏まえて、この章の最後に福島第一原発事故の翌年に書いたちょっと変わったコラムを紹介しておきたい。

▼イモ虫の危機一髪を目撃する

以下に書く奇妙な話は、実際にあった話である。2012年8月14日の夕方、涼しくなった頃合いを見て、近所の遊水池公園にウォーキングに出かけた。夕方の6時半、日が短くなってあたりはすでに薄暗い。私は、公園のそばを走る道路の路肩にある歩道を歩いていた。すると、歩道の一方の草むらから這い出した一匹の巨大なイモ虫が、反対側の植え込みに向かっているのを目撃した。

全身が黒っぽい色で、見たことがない位大きい。全長10センチくらいはあったと思う。そのイモ虫は、むくむくと体を動かしながら私が歩いている歩道の殆ど中央までやって来ていた。このイモ虫は何の幼虫なのだろう。それにしても気持ち悪いほどに大きい。それはほんの瞬間、頭に浮かんだことに過ぎず、私は殆ど無意識のまま、ただその巨大なイモ虫を踏まないようにまたいで歩き続けた。

それだけなら、すごいイモ虫がいるものだ、で終わっていただろうと思う。しかし、イモ虫をやり過ごしてから十歩も行かないその時。前方からおばさんが同じ歩道を自転車に乗ってやってきたのである。歩道の中央を走って来る自転車。歩道の真ん中を横切っている巨大なイモ虫。おばさんは何も知らない。私は歩道の脇によってその自転車をよけながら、振り返って自転車のタイヤがイモ虫を踏みつぶすのかどうかを、確かめずにはいられなかった。イモ虫の運命はどうなるのか。

自転車がイモ虫に近づいた時、一瞬イモ虫の体が縮んだように見えた。自転車のタイヤは、殆どイモ虫の鼻先にある触角が触れる位のところを通りすぎたのである。おばさんの自転車は何事もなかったように過ぎ去った。再びむくむくと歩きだすイモ虫。それは、得体の知れない災難が身をかすめたイモ虫の気持ちを、思わず想像してしまうような出来事だった。

▼イモ虫(人間)の運命を見ている者

夕暮れの中を歩く私の頭には、今見た光景がしきりに浮かんで来る。イモ虫はぐしゃっと踏みつぶされるのをすんでのところで免れた。突然、得体の知れない巨大な物体(タイヤ)が鼻先を地響きを立てながら通り過ぎたわけだが、何故か死なずに済んだ。偶然と言えば偶然だが、考えてみればこういう偶然は、私たち人間の世界にも無数に存在するのではないか。

運悪く、夏休みの行楽に行った家族が事故に会う。中には先祖の墓参りに行った帰りの死亡事故などもあるだろう。そうかと思えば、気がつかないままそう言う事故から間一髪で逃れている場合もあるに違いない。

私が生まれた67年前の戦争の時は、そうしたことが日常茶飯事だった。決定的な災難に、ある人は遭遇し、ある場合は危機一髪で逃れる。そこにどんな力や偶然が働いているのだろうか。

このイモ虫の場合、さらに不思議なのは、その瞬間の一部始終を見ている私という存在がいたことである。あのイモ虫の運命を分けた瞬間を目撃していた自分という存在は何なのだろうか。イモ虫を人間に見たてた場合、人間に起こるこうした運命のいたずらを見ている存在は、この世にいるのだろうか。

一番分かやすいのは、それが神なのかもしれない、ということである。それは、宗教のような意味合いの神ではないかもしれないが、この世に起こる様々な事象の一切を高みから見届けている存在である。イモ虫の生死を分けた一瞬を見ていた私のように。

その存在が、人間一人一人の運命を(この場合は助けてやれ、この場合は手を出さない、などと)左右していることはないだろう。しかし、あの不思議な一瞬を構図的に考えれば、この世に起こるあらゆる事象を、透徹した目で見ている別の視点の存在を感じてもおかしくはないことになる。特に、生死を分けるような偶然に出会った時に、人間はその存在に敏感になるのかもしれない。そんなことを考えながら、私は夜の公園を歩き続けた。

▼原発事故の危機一髪

「あれは何だったのかなあ」。それから2日後、原発再稼働反対の国会包囲デモに初めて参加した夜、一緒に行った人と食事をしながら、私はその目撃談を持ち出してみた。私が感じたことを話すうちに、その人は「多分、そのイモ虫を目撃したことは、今言っているようなことを君が考えるということで意味があったということではないかな」という。「そうかなあ。とすると、そこから何を引き出せばいいのだろう」。

それからしばらく、私たちは脱原発とは今すぐなのか、10年後なのか。国民の声を政治に反映させるには、どうすればいいのかなどについて話をした。やむにやまれぬ思いでデモに参加していた人々の顔を思い浮かべながら、一方で、焼き鳥屋で楽しそうに談笑する客たち、窓の外の街を歩く人々を眺めながら、その落差に脱原発の一筋縄でいかない難しさを感じていた。

その時である。ふと、私の頭の中で何かが光った。あのイモ虫は私たち日本人ではないのか。巨大な災難が目の前を通り過ぎたのに、何が起きたのか分かっていない。わずか一センチでも違っていれば、踏みつぶされ、命を失った災難。イモ虫と自転車の構図は、日本人と福島原発事故の構図そのままではないか。

自分に何が起きたのかも分からないイモ虫の姿。それは危機一髪で国の滅亡を免れながら、殆ど何の教訓も生かさないまま、危険な原発を再び動かしている日本の姿と何と似ていることだろう。福島原発事故の真の恐ろしさを見ようとしない政治家や経営者や官僚たちが原発を恣意的に動かしている日本。不気味なのは、すべてを見通しているもう一つの存在が、この日本の状況をじっと見ているということ。いつまでたっても原発に執着する今の日本には、人知の及ばない時限爆弾が音もなく時を刻んでいるような恐ろしさがある。

（2012年8月18日）

あとがきにかえて

日本では2020年の年明けから始まった新型コロナの感染拡大では、医療体制やPCR検査の遅れ、ワクチン開発の遅れなど、日本の立ち遅れが目立った。世界の医療先進国に比べて日本の現状に愕然とした人も多かったのではないか。しかし、世界の最先端を行くと思っていた日本が様々な面で遅れ始めているという指摘は、むしろ遅すぎたよう気がする。それはこの間、政治も国民もかつての栄光の影を引きずりながら、ぬるま湯に浸って現実を直視して来なかったからとも言える。

そこから目を逸らせてきた背景には、去年7月に倒れた安倍元首相の「世界の真ん中で輝く」といったアベノミクスの幻影もあったかも知れない。しかし、これからの日本は足元の現実をしっかり見据えた、新たな国家ビジョンを若い世代が模索して行く時代になる。その意味で、日本が抱える様々な課題を知ってもらいたいと思う。また、グローバル化が進む現在、日本は第3章に取り上げた人類の課題からも逃げることはできない。世界が直面するそうした課題において、日本がリーダー役を果たしていくためにも、若い人材が育って行くことを願っている。

目の前の事象の本質を見抜くためには、物事を長期的、多面的、根本的に見る必要があるという(思想家、安岡正篤)。本文では意識して、そうした物事の背景が分かるようなコラムを選んだが、浅学の私としては、多面的に、長期的に考えるために様々な著作に助けられてきた。それらの本のタイトルは、かっこ内に示してあるが、興味のある方はそれらの著作に是非当たって頂きたいと思う。最後に、この本の出版に当たっては友人の元木伸一さんに多大な骨折りを頂いた。感謝したい。

2023年5月

■ 著者経歴

軍 司 達 男（ぐんじ　たつお）

1968年東京大学工学部都市工学科卒、NHKに番組ディレクターとして入局。主に科学のドキュメンタリー番組で、地球環境、原子力、技術立国、医療、生命科学などをテーマに制作。関わった特集番組は、「原子力 秘められた巨大技術、第2回安全はどこまで」、「いま、原子力を考える」(1981年)、「原子炉解体」、「いま、原子力を考える」(1989年)、「地球汚染」、「地球は救えるか」(1989年)など。その後、NHKの未来を考える「NEXT10」プロジェクトや若者向け番組、「プロジェクトX」などの番組企画開発に従事した。

定年後の2005年から個人的なウェブサイト「メディアの風」を主宰。

いま、あなたに伝えたい。

～ジャーナリストからの戦争と平和、日本と世界の大問題～

発 行 日　　2023年5月21日

著　　者　軍 司 達 男

発 行 所　一 粒 書 房

〒475-0837 愛知県半田市有楽町7-148-1

TEL(0569)21-2130　FAX(0569)22-3744

https://www.syobou.com　mail:book@ichiryusha.com

編集・印刷・製本　有限会社一粒社

ISBN978-4-86743-174-0 C0021